伸展在文字與攝影之間、
藝術與文學之間。

貓非貓

文字・攝影
謝佩霓

大塊文化

萬幸萬幸，
身邊總不乏愛貓人，
於是愛屋及烏。

序

如果讀者跟我一樣，只逛實體書店，卻又因為怕吵怕擠不愛久待，每每極限已到，看到限量新書，立馬就會購物癖發作，不管三七二十一抓了結帳，先入手再說，回家再慢慢細看。若然，那麼展讀此書之時，愛貓的人不曉得會不會十分錯愕，原來這書不是寫貓，也不是側寫貓，雖然書名三個字裡有兩個字明明是貓。

書名訂作《貓非貓》，其實是為了誠實以告。畢竟這本書無法分類，套用「花非花，霧非霧」的句型，當然也暗示著「夜半來，天明去」的貓影貓蹤。

生性多癮又多控，改不來也戒不掉，只好順著癮頭走，奢望他人包涵我的控發作。生物控的我，感謝父母家人包容，從小愛養各種小動物。但現實生活中，始終只養了狗而不曾養過貓。不是不愛貓，只是偏就是跟養貓最是無緣，只好安慰自己說：愛貓的人未必需要自己養貓。

多年前一次在臉書上，透過測試民意決定更換臉書大頭貼。一張是貓，一張是狗，二分法的選擇題，沒有灰色地帶可以讓人猶豫或者鄉愿。結果臉友一面倒選擇貓，狗的擁護者意外地不成比例。奇特的是儘管從來都覺得自己生性像狗，親朋故舊直言相告認為自己更像貓的旁人，倒是越來越多，即使他們持的理由，往往南轅北轍。

自我認同與他者認知間的歧異這般懸殊，是該擔心還是開心？也許是庸人自擾。

從小動物就會自然而然地跟我很親，野生或豢養者無分軒輊。更常給人講像貓之後，最神奇的是原本百年難得遇見貓咪主動示好，如今卻是往往身處眾人之間，也會獨得貓族青睞。面對他人的逗弄招睞無動於衷，只會為自己凝神、屏氣、止息……

沒養貓的命，於是乎就退而求其次，見貓便駐足，給逗就隨緣隨喜逗，給拍就好好認真拍照。

這書裡的廿八篇短文，形同散策，集結了日常中偶遇貓之後，以貓為觸媒發想成篇的小文。優游在文學、藝術、音樂、電影、建築、攝影之間恣意伸展，無論東西，古今不分，但求群聚於書中齊來相會。蔓生的文思如縷纏綣翩躚，卻遲遲織不成有條不紊的清晰文脈，這該怪自己是過分散漫、過分貪心還是過於耽溺？

翻飛的念想，如貓之行跡，很難參透難以掌握。欲走筆捕捉之時，筆尖彷彿突然自有意志，率性隨意遊走，於是僅能任由恣起，緊隨所學、所知、所感、所思率性繁衍。這些興發，在節點間反覆徘徊逡巡，從而串起了走過大半生的生命中，實際經歷過但未必為人知的一些人、事、地、物。盤點來時路所得，也許不見得字字珠璣，卻是誠意十足地分享了個人人生行旅中留下爪痕的點點滴滴。

多少肺腑之言，不管怎麼說都注定會情溢乎辭。擲筆之際，唯有請出寫出貓經典大作的美國作家愛倫．坡（Edgar Allen Poe, 1809-1849）幫忙代言，說出這句心底話：「真希望自己能寫出像貓一樣神祕的東西。」

目次

夏日松山的貓

道後商店街上，滿是著浴衣夾腳涼鞋踩街的紅男綠女，穿著打扮都很「貓」，可就是見不到貓的蹤影……

來到四國愛媛縣縣廳所在的松山（Matsuyama），不由得想起夏目漱石（NATSUME Sōseki, 1867-1916）、他的《我是貓》（吾輩は猫である，1905）、他的《少爺》（坊っちゃん，1906），當然還有他的莫逆之交正岡子規（MASAOKA Shiki, 1867-1902）。松山作為「俳句之城」，俳句（Haiku）改革大家正岡正是生於斯。

因為個人體質不適合泡溫泉，晚餐後興起，決定四處閒逛找貓咪。仔細繞行整修中的道後溫泉（Dōgo Onsen）本館一周，不想湯屋側邊掛的便是俳句社的銜牌。

這座溫泉會館鼎鼎大名，也正是宮崎駿（MIYAZAKI Hayayo, 1941-）經典動畫《神隱少女》（千と千尋の神隠し，2001）中湯屋的原型。好奇駐足等了好一會兒，自然沒等到湯婆婆，卻意外巧遇了晚上九點鐘的七彩動畫燈光秀。以正立面鳳凰雕飾為主角，霓虹閃爍，目不暇給，熱鬧有餘，恍若成了迷你版的寶塚歌劇團（Takarazuka Revue Company）的華麗歌舞秀了。

道後商店街上，滿是著浴衣夾腳涼鞋踩街的紅男綠女，穿著打扮都很「貓」，可就是見不到貓的蹤影。漫無目的瞎晃閒逛，倒是出現不期而遇的驚喜。路過夏目自傳小說《少爺》發表百年的紀念碑，立於平成十八年（2002）。

日本平成（Heisei）時期面值千元的鈔票，印著一生歷經慶應（Keio）、明治（Meiji）、大正（Taisho）三位天皇的文豪夏目漱石。隨著德仁天皇（Naruhito, 1960-）上位改朝換代，令和年代（Reiwa, 2019-）的新鈔全面改版，夏目漱石隨明仁天皇（Akihito, 1933-）退位，也將由細菌學之父北里柴三郎（KITAZATO Shibasaburō, 1853-1931）取代。

原名金之助的夏目漱石，傳世的筆名家喻戶曉，但原來是借用自東大預科同窗正岡子規的筆名。此外，夏目畢業之後遠離東京，下鄉至摯友所在的松山執教，這段經歷進而催生《少爺》的誕生。光是這兩點，見證他與正岡的情同手足不言可喻。

此間民眾對正岡不盡熟稔，但對棒球的熱愛，倒是數十年如一日。這位棒球倡議者，在肺癆纏身前嗜好打球，在球場上擔任捕手。他將棒球術語譯為「打者」、「直球」、「死球」等等漢字沿用至今。此外，正岡以其絕妙俳句，為「野球」發展為日本國球助攻，順利讓棒球成為全民運動的歷程生色不少。正因如此，正岡子規雖非選手，仍然進入東京巨蛋「野球博物館」的殿堂被推崇。

東京上野（Ueno）上野公園裡有「正岡子規紀念球場」，附近根岸的「子規庵」，則是子規生命最後的六年生活的家。這裡也是當年最熱門的藝文沙龍所在，夏目漱石《我是貓》的書稿，初次公開朗讀亦是在此。考量正岡子規彼時已經公開是個癆病者，文人雅士不以為意依舊熱烈參與，他的魅力可見得非比尋常。

仔細看過正岡子規病榻上畫的沒骨花卉寫生，菖蒲、高雪輪、美女櫻、半邊蓮、松葉菊、百合、罌粟、錢葵、薔薇一應俱全，畫的全是極目可見的庭花、庭樹。他也臨摹畫成《果物帖》（1902），彷彿傾全力注入生命最後的色彩，把最愛的古詩《萬葉集》盡控於彩筆之下。

現今的子規庵裡遍植雞冠花，院子裡也架著絲瓜棚，據說都是他的最愛。自幼體弱的正岡子規，早年的代表作，確實常以花為喻，其中小說《曼硃沙華》（中文作曼珠沙華，*Manjusaka*）最富盛名。小時候愛哭，大了染疾泣血，「子規」的筆名，無非自比為啼血的杜鵑，而由他創辦的文學誌，也以《杜鵑》（ホトトギス，1897-1945）命名。

罹患肺結核，末期桿菌損及脊椎，他在臥床期間所著的《病床六尺》尤其動人，風中殘燭的生命行將就木，卻窮盡力氣書寫勘破死生的哲理。夏目晚年追求「則天去私」的境界，開風氣之先表示往生後捐贈大體，料想必定深受摯友啟發。

死前一年寫下「今年ばかりの春行かんとす」（去不了了，此生最後的春遊）的名句那時，子規病入膏肓，意識到那大概是生命僅存的最後一個春天。而如今被統稱為「辭世三句」的絕筆之作，以草賤的絲瓜為比興自況日薄西山，採「糸瓜咲て痰のつまりし佛かな」（絲瓜花盛開，痰卡著，可是佛陀？）破題，自嘲形同活死人，再多怯痰的絲瓜露也無濟於事，徹底發揮了見微知著的本色。一九〇二年中秋過後病故，子規的忌日九月十九日，由於「辭世三句」深入人心，爾後被稱為「絲瓜忌」。

從而不由得想起，進松山城前路過一片素淨墓地，周邊遍植石蒜。花

季未至，綠葉安於夏眠，生意盎然。曼硃沙華語出梵文，首見於《法華經》（《妙法蓮華經》，*Sad-dharma Pundarika Sutra*），嗣後佛家典籍裡，均作「赤團華」解。

《法華經》裡視作「接引之花」的曼硃沙華，日人因其花落葉才發，花與葉彼此永不相逢，花季又在秋分，正值例行掃墓的「秋彼岸」時節，故而稱之為「彼岸花」。進而想像，黃泉路上三途河邊，石蒜沿路盛開，迤邐成一條好殊勝的「火照之路」，迎向引度越過忘川的重生之道。

雨驟落，思緒也如雨紛紛。想著想著，店家此起彼落開始熄燈，這才警覺該趕在打烊前回頭採購點松山特產當伴手禮。處在抉擇採買「白鷺餅」還是「少爺團子」當伴手禮的兩難之際，忽地在商店街盡頭，驀然撞見兩隻貓窩在暗處。

湊近定睛瞧，這對街貓哥倆好，一隻虎斑，一隻墨黑，一樣有著缺角的耳朵、折斷的尾巴，還有一式晶亮放光的一對罩子。散發如此神氣與神閒渾然交融的神色，讓人直覺彷彿是正岡子規與夏目漱石的化身，結伴再現初夏夜微雨的松山。

夏日松山的貓

佐野洋子的貓

有一天，她驀然發現，自己的愛貓因為年邁，一張圓臉曾幾何時變成了四角臉，頓時感慨萬千。

日子過得真快，距離日本繪本作家佐野洋子（SANO Yoko, 1938-2010）因癌症病逝，轉眼間已經十年。她在一九七七年出版的暢銷繪本《活了一百萬次的貓》（100万回生きたねこ），經過四十多年的考驗，已然確立了歷史地位，她也因此經典雖死猶生。

佐野洋子明明畢業於武藏野（Musashino）藝術學院設計系，卻訕笑自己雖然科班出身，才情委實有限。或許認清這樣半推半就半生的無奈，就是她隨年齡增長與自己與他人和解的契機。正像洋子坦承當初留學的德國柏林，不對她的脾胃，其實自己與義大利米蘭，才真正是一拍即合。

從《無用的日子》（役にたたない日々）、《沒有神也沒有佛》（神も仏もありません）到《貓咪，請原諒我》（私の猫たち許してほしい），在她的散文集裡，不時看見簡筆繪成的插畫直見心性。尤其她總是採取「人貓易位」的擬人化模式，反自觀照，直面遲暮，如此這般參透人生況味，格外耐人尋味。

比如有一天，她驀然發現，自己的愛貓因為年邁，一張圓臉曾幾何時變成了四角臉，頓時感慨萬千。只為這隻貓和母親的臉還有自己的臉，皆因衰老鬆弛，不知不覺竟然都成了一個模樣。雖然自創怪招作為防禦機制，盡量不照鏡子地活著，洋子至此明白，怎麼做也阻止不了年華在不知不覺中老去。

作為書名，《貓咪，請原諒我》是散文合輯裡的一個篇章。但在這本書裡，最愛的反而是〈風送來的東西〉這篇。其中她抒發對日本花道的見解，令我耳目一新。

「我知道日本的插花（生け花），志不在於讓花活（生）下去，而是去『生風』。……連貧困長屋院子裡的盆栽牽牛花，風都不停吹著。」對照洋子追憶父親亡故之後，淪落遷居陋巷，歷歷在目：「長屋小院子，房子雖雜亂無章，但居民絕非過著骯髒的生活。夏天會在巷子潑水，玄關紙拉門也一直開著。掛著竹簾，小窗邊攀附著牽牛花。」

去年盛夏，有天早晚兩度走過東京台東區的江戶老街，舉起手機快拍速記了路邊的牽牛花、番茉莉與蟬蛻。這「夏日三點」，恰恰標記了早午晚三個時段，以及昨日、今日和明日。

牽牛花雖然朝生暮死，但生命力強悍，在台灣是隨處可見、遍地開花的先驅植物之一。二〇一二年行政院文化部掛牌成立，廢用文化建設委員會辨識度很高的原有logo「文」，改以台灣藍染色的牽牛花取代之，理由是由「喇叭花」吹響美學號角更具草根性。

面對一樣的花種，日本看法迥異。牽牛花日文名為「朝顏」，與英文俗名Morning Glory異曲同工，只是更能突顯其嬌憨可掬。本是先驅植物，可以自然蔓生的朝顏，在工於「究極」的日人悉心栽培之下，早由自然景觀昇華為和風十足的文化景觀。和服（わふく）浴衣、和柄（わがら）紋飾、日本傳統色、東洋七夕，均不乏朝顏倩影。

朝顏一日一生的展顏，一如花火，貴在轉瞬即逝的絢爛，構成典型夏

日即景。可比春櫻秋楓，最適合著吳服（ごふく）緣聚，同遊共賞。

原產於巴西雨林的番茉莉（Brunfelsia），初開時深紫，盛開時純白，所以這變色茉莉，英文俗名雖然直白卻很別緻，喚作「昨日・今日・明日」（Yesterday-Today-and-Tomorrow）。前一天途經此，見到夜裡出土攀住茉莉才羽化的蟬，今天不知何在？明日又將往何處去？

當令時的番茉莉灌木叢，往往開得一樹花海，深淺花枝相映紫，讓綠葉都遁了形。儘管花團錦簇，白天卻無臭無味，入夜飄起花香，夜色越深越是盛開，香味益發濃烈，花色倒是越發蒼白如月色。彷彿把一身的豔紫，都獻給了日光裡的紫外線，滋養了其他花朵的鮮麗顏色，換得自己夜來芳香濃郁的回饋。

夜入中目黑（Kamimeguro）壽司屋，酒酣耳熱之際，一隻夏蟬不請自入，一屋子食客不由得驚呼連連。掌櫃的師傅不慌不忙，操出紗網來捕。三兩下兜蟬入網，見他熟練地順了蟬翼，那輕巧手勢猶如捏製握壽司。驚惶失措的刺耳蟬鳴，即時戛然而止，一室屏息觀賞夏日即興演出的觀眾，也瞬間恢復了觥籌交錯的嘈雜。

酒足飯飽步出食肆，等待同行夥伴結帳時，眼角掃見又一隻飛蟬趨光誤入，隔窗再次上演眾人鼓譟、壽司師傅捕蟬絕技，這回自己卻成了框景外旁觀的路人。盛夏之夜的戲劇化插曲，原來是「季節限定」的定目劇。

隨即在我默默注視下，師傅步出小鋪，一邊輕聲細語安撫網中蟬兒，一邊輕手輕腳地將之移出網罟。鬆手望著知了高鳴展翅淩空遠去，師傳的眼神出奇溫柔，猶如望著隔世情人星夜話別離去的背影。

這是一則別樣的東京愛情故事。時值歌頌「織姬」（織女）與「彥星」（牽牛）的和曆文月（ふみづき／ふづき）之末，於是如實記下所見證的《東京愛情物語》（1988）。

也就在晚風拂面的剎那，瞬間體悟到了佐野洋子所謂：「風吹過的時候，世界又以嶄新的親密打開了，生與死都隨著風，或者說宛如風一樣被諒解了。世界和風一起，或者說宛如風一樣接受了我。」

是的，只要有風，一息尚存，便可以好好活著。

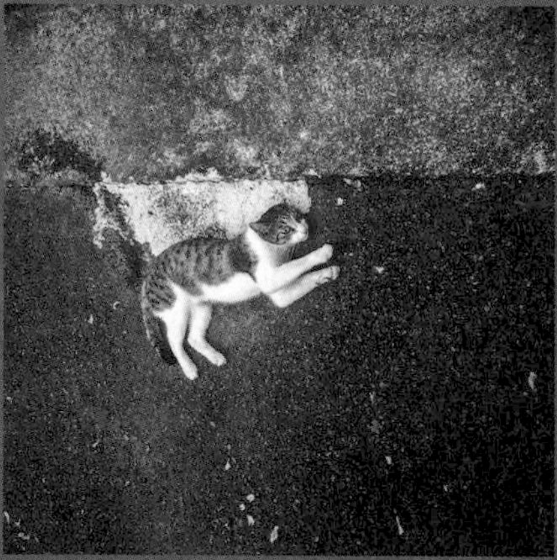

老舍的貓城記

貓人國父權高漲，婦權不存在，滿城到處都是受虐婦女唱著哀歌悲鳴。貓人國首都「貓城」，文明已有超過兩萬多年的歷史。

我有位北京朋友，血統是正紅旗滿族，一口京片子非常健談，當初才認識，便聽他唱作俱佳地聊完了祖宗八代的興衰哀榮。從幾世紀前祖上隨清太祖入關後，他們家族便落戶至今，因此總以「老北京」自居，頗自豪。

每回聽他開京腔談北京如何如何好，因此離不開，離開了就沒法創作，便會想起也深愛老北平的老舍（本名舒慶春，1899-1966）。「我好靜，故怕旅行。自然，到過的地方就不多了。」老舍愛京城愛得應該猶有過之，因為他寫北京時特別溫情軟語，全沒了尋常文章裡那些促狹的調侃與棉裡藏針的批判。

從事文字工作的朋友真的特宅，藏書是汗牛充棟級，平素蒔花芸草治梦有道，琴棋書畫樣樣精通。妻兒一個個早早全去當了美國人，他就養著一隻像貓的公狗妹子、一隻像狗的母貓虎妞和三隻其貌不揚的鳴禽，住四環邊上一座小院落過日子，活得也是有滋有味。他解釋說家裡供養了他所需一切，特舒服、特自在，所以沒事絕不出門進城，車堵車，人擠人，沒意思。可是不愛出門的他卻能知天下事，觀人料事奇準，很神，這是因為他歡迎相熟的朋友隨時上門擺龍門陣。

他的「雅集」菸酒不忌，話題也葷素不忌，往來的無白丁者，到底知性識趣的人多，就算百無禁忌得歡暢，還是自有分寸不致太出格。朋友們都是不請自來，也來去自如，歡迎攜伴參加，但是偶遇上胸無點墨的掃興鬼，或是酒品差借酒裝瘋口無遮攔者，他也會挑明說話不投機，嚴著臉重申別再帶無趣者上門。

最喜歡聽他臧否書中人物，不論古今中外，信手拈來，都是獨到見解。一回他說自古文人寫人物，說是虛擬，其實莫不有所本。特別是摻入了方言寫作，設定了雅俗共賞的讀者群眾時，取名從來沒胡謅瞎掰，再虛構也不至於虛應故事，一定含有寓意。

他舉北洋軍閥時期為背景的《駱駝祥子》（1936）為例，問大夥三隻駱駝不過是一時出現的情節，何德何能就納為書名永垂不朽？這是因為西去東來、北上南下，任勞任怨的駱駝遠比馬好使，比騾子有能耐，老北京人對駱駝毫不陌生。記得我立馬應和，插嘴說難怪洋人拍的北平老照片，駱駝入鏡的比例這麼高。老舍用駱駝的意象跟常民拉近距離，同時也為綽號「駱駝」的人力車伕祥子，突顯堅韌沉默的性情，所以個性潑辣卻鍾情的女主角則叫虎妞。這也是他家貓兒命名的出處。

身兼劇作家與小說家的老舍，已然是五四運動以降，至今後勢依然看好的大家之一。不至於像泰半五四新文學作家的作品，許多已經過氣，人氣不可同日語。老舍產出的經典中的經典，像小說《四世同堂》、《駱駝祥子》、劇本《茶館》，可謂認證了白話文運動的能量與能耐，應再毋庸議。他作為一代聞人雖則不堪凌辱，自戕殉難於文革，平反後中國官方還是恢復了「人民藝術家」的尊稱。

與那些往往浪漫得一塌糊塗而喪失了現實感的五四文人相比，相較之下，老舍為凡夫俗子寫作，下筆顯得人性、寬大得多。對於愛情與麵包不能兼顧時，人為了掙麵包圖生存，不計毀譽「毀三觀」的作為，始終不忍苛責。《月牙兒》這篇小說中，藉著母女兩代為娼的悲涼宿命，否定新式愛情，囿於世態炎涼，最終只能以破裂告終。「肚子餓是最大的真理」，言明所謂自由在飢餓當前時一文不值，舊文化始終頑強磨人。這與《駱駝祥子》裡直言「愛與不愛，窮人得在金錢上決定，『情種』只生在大富之家」的認命觀點，不謀而合。

老舍假託動物或尋常事物，來具體呈現人物性情，以直搗時局，直剖人性，直指人心，《駱駝祥子》只是其一。《兔》這小說是個萬把個字的中篇，寫的還是社會底層的小人物的悲哀。主角「小陳」是個細皮嫩肉的民國「小鮮肉」，從票戲、學戲、演戲，一路迅速由戲班的跑龍套、拜師做生徒、迅速上位成旦角擔綱，一切似乎風生水起。豈知交友不慎，讓奸商玩弄股掌間，一步步被人左右，任人宰割。賠上胞妹為代價但求上位，孰料所託非人，注定賠了夫人又折兵，被喜新厭舊的政客始亂終棄，最後淪落到唱野台依然乏人問津。

被誑被騙被「捧殺」，小陳到最後都家破人亡了，還自欺欺人認為不是自己不行，堅持全怪旁人不知己，更不懂戲。對手足的無辜犧牲不帶一絲愧疚悔悟，抽大煙自我麻痺爆瘦死時，也才不過二十四、五歲。出於沒有識人之明更無自知之明，小陳是自掘墳墓的悲劇人物。第一次看陳凱歌的《霸王別姬》（1993），似曾相識之感，無疑來自讀過老舍這故事。

老舍有篇短文〈兔兒爺〉，透過寫坊間民俗，描繪世局隳壞赤貧中，市井之民勉強祭中秋的違和即景。有論者援引，本於民間信仰兔兒爺負責掌管男子間的情愛，古人稱斷袖為兔，因而引申戲子小陳為酷兒。我倒認為無從下此定論，一來男主角性向的搖擺，顯然因時、因人、因利制宜，二來如果考據陳森《品花寶鑑》（1849）之說，那麼所謂

「兔」當指戲園子裡的旦角。旦角出身，「三十年中便有四變」，幼時可愛、可憐，青少時可狎、可欺、可用。前清時戲子開始委身於男人求供養當「相公」，之後才被暗指為兔。

聚焦小人物的悲哀描寫時代悲劇，固然是老舍的拿手好戲，然而個人覺得，《貓城記》(1932）這部小說，假借荒謬的情境，放大書寫亡國感，特別有意思。寫作時老舍客席英國甫歸來，不再像過去用全知的第三人稱抑或旁觀者為觀點，採取第一人稱敘事，讓「我」不再置身事外。故事描寫傳主搭乘太空船到火星探險，不幸失事墜毀，於是流落於為半貓半人生物統治的「貓人國」。搭救事主的「大蠍」是個文武全才的野心家，因此隨著老舍永遠在文字中探討人的逐步墮落，大蠍也難逃利誘，靠著壟斷「迷葉」生產工廠，事業版圖極盡擴張，身兼大地主、政客、詩人、軍官於一身。換言之，挾黨、政、軍與士、農、工、商權力與利益於股掌中。

老舍寫貓人國首都貓城，十分奇幻。這裡的學校形同虛設，開學第一天就直接頒發畢業證書。博物館空空蕩蕩，因為珍貴的典藏品，早被賤賣予老外圖利。貓人國父權高漲，婦權不存在，滿城到處都是受虐婦女唱著哀歌悲鳴。貓人國首都「貓城」，文明已有超過兩萬多年的歷史。可惜近五世紀以來，貓人貪食迷葉成癮，導致自相殘殺，文明大退化開倒車，隨時分崩離析。

目睹貓人被暴政統治，主角因此出手幫助牠們成功推翻暴政，最後順利搭上法國飛機返回地球。這部小說一付梓連載就大受歡迎，讀者一讀便知，老舍對無能的政府、失格的知識份子、敗德的人民何等失望；貓人國就是中國，貓人就是中國人，迷葉就是鴉片。果真應驗奇文共欣賞，從發表後，先後被譯為英、法、德、俄、日等國文字，甚至還有匈牙利文的譯本。

老舍一九二四至一九三〇年間客卿英倫教授華語，當時依然流行的小說，像法國科幻作家凡爾納（Jules Gabriel Verne, 1828-1905）的三部曲，他必有所聞，也許因此小說情節會設定是搭法國飛機返回故國。不知這是否亦與他難忘的法國經驗有關；按他〈貓〉散文裡提及，曾在法國輪船上，因不諳法語誤點貓肉來吃，「貓肉並不難吃，雖不甚香美，可也沒什麼怪味道。是不是該把貓都送往法國輪船上去呢？」他對諷喻作家史威夫特（Jonathan Swift, 1667-1745）的《格列佛遊記》（*Gulliver's Travells*, 1729）應該有所悉，若然，智馬慧駰（Houyhnhnms）霸凌統治退化的犽猢（Yahoos）的相關情節，肯定印象猶深，遂也成了《貓城記》的參照？

在自序裡，老舍自嘲是因為吃飽撐了才寫奇文娛人，希望讀者笑看《貓城記》，甚且借與妹妹與侄兒對話，說出：「貓人是貓人，與我們不相干，管它悲觀不悲觀。……我樂得去睡大覺。夢中倘有所見，也許還能寫本《狗城記》。是為序。年月日，剛睡醒，不大記得。」如此調笑，竟也讓人想到，也許他的靈感與體悟，不過是南柯一夢？

法爾珺與嗜睡的貓

「夜貓子」的說法，其實純然穿鑿附會，對照貓的習性，絕非事實。因為貓兒無時不刻能睡就睡，永遠處於「無睡不歡」的狀態。

生來需要睡眠的時間就不長，打襁褓時期，母親為小霓子的短眠痛苦不堪。據母親追憶，睡睡醒醒的我總愛擾人清夢，最高紀錄曾經一夜鬧她醒轉九回。所幸之後招來的兩個弟弟好帶好養，常常一覺到天明，彷彿是上天為了補償她，之前為我經年累月地欠眠。

睡得少也因而睡得晚，不過坦言之，絕不是為了精進學業所以挑燈夜戰。大半夜都消磨在蘑菇瞎忙，看閒書、聽音樂、信筆塗鴉、沉迷手作兼胡思亂想，往往完全不事生產，只圖個窮開心。儘管不是晝伏夜出，亦非不過正午拒絕出門慵懶之人，然而還是被人歸類為夜行性動物、夜貓子之流。

「夜貓子」的說法，其實純然穿鑿附會，對照貓的習性，絕非事實。

因為貓兒無時不刻能睡就睡，永遠處於「無睡不歡」的狀態。貓的嗜睡，與閒散疏懶並無關，而是天性使然，一天裡，據統計總有三分之二的時間花在睡覺。好事者一廂情願為貓族解讀，其所以時時昏睡，只因為無所事事。妄斷貓族由於窮極無聊，百無聊賴，所以狂睡以逃避現實，真是誤會一場，這也是諸多關於貓積非成是的妄臆妄想之一。

英國女作家愛蓮娜・法爾珺（Eleanor "Nellie" Farjeon, 1881-1965）寫過一首可愛極了的小詩，描寫貓咪如何貪睡無比。〈貓咪處處睡〉（Cats Sleep Anywhere），在英國家喻戶曉，試譯如下：

Cats sleep anywhere,
貓咪處處睡。

Any table, any chair.
任何桌子，任何椅子。
Top of piano, window ledge,
鋼琴上，窗台上，
In the middle, on the edge.
睡中間，睡邊邊。
Open drawer, empty shoe,
敞開的抽屜，空著的鞋子，
Anybody's lap will do.
任何人的大腿都行。
Fitted in a cardboard box,
瓦楞紙箱剛剛好，

In a cupboard with your frocks.
掛著妳洋裝的衣櫃恰恰好。
Anywhere. They don't care.
隨處都好。牠們無所謂。
Cats sleep anywhere.
貓咪處處都能睡。

以淺顯易懂的三言兩語，便讓貓咪無時不刻都能呼呼大睡的本事躍然紙上；牠們不挑場所，四處都能安然入眠的奇景，簡筆素描得十分生動，很有畫面。一首短詩，足見功力，法爾珺果然是以童詩、兒童劇見長的高手。

又或許可以這麼推敲，法爾珺由於打小體弱多病，天生視力不佳，沒法像正常孩子一樣上學去，只能靠父母與兄長啟蒙。在家自學的結果，反而讓她不受制式教育僵化所染指，文字使用清新脫俗，文風亦不染凡塵永保清明。

法爾珺生於倫敦的藝文世家，家中各個成員藝事卓然有成。父親Benjamin L. Farjeon（1838-1903）是個自學而能的知名作家，由於在澳洲、紐西蘭與英國等國長年耕耘，以小說、劇本、報導文學，名噪維多利亞時代的大英國協。而他書中的插畫，始終都委由家世顯赫的名師夏瓦里耶（Nicholas Chevalier, 1828-1902）繪製。母親一樣系出劇場名門，外祖父是以改編《李伯大夢》（*Rip van Winkle*）紅遍英語世界的美國戲劇名演員傑弗遜（Joe Jefferson, 1829-1905）。

大哥 Harry Farjeon（1878-1948）是英國現代作曲家代表人之一，擔任皇家音樂院（Royal Academy of Music）的教授近半世紀，作育英才無數，得意門生包括了新藝術大師慕夏（Alphonse Mucha, 1860- 1939）的媳婦潔若玎・湯姆生・慕夏（Geraldine Thomson Mucha, 1917-2012）。

因為兩度策劃慕夏特展之故，與慕夏家人交情彌篤，已是三代交情。當年首度引進台灣，我家父母為了玉成家屬心意，辦了別出心裁的音樂沙龍，邀請台灣年輕鋼琴家，為慕夏夫人完成半世紀卻從未發表的鋼琴協奏曲，舉行了全球首演。

之後親自去布拉格致謝，帶著美味魚乾到故居拜訪慕夏夫人時，記得她開心至極，笑咪咪說最愛這一味，肯定上輩子是貓。當面放了影音紀錄給她欣賞，看著看著，淚流滿面的她悲從中來，談起作曲之時悲痛逾恆，彼時不知身陷囹圄的良人是生是死。慕夏夫人從而談起師承，我這才有幸得悉，原來法爾珺教授和妹妹愛蓮娜曾經合作過一齣歌劇，一個譜曲，一個寫詞。

愛蓮娜大弟 Joseph Jefferson Farjeon（1883-1955），被譽為英國偵探小說黃金年代的代表作家之一，最近幾年他又再度引起關注，全系列的名作《偵探班》（*Detective Ben*）都獲重新出版。他的作品被譯為多國語言，希區考克（Alfred Hitchcock, 1899-1980）早年的代表作《十七號》（*Number 17*, 1932）正是改編自他的同名小說。小弟 Herbert Farjeon（1887-1945）是舞台劇知名演員，演而優則寫作劇本，更是二十世紀前期英語世界最具影響力的劇評家。他也和法爾珺一起合作了好幾部暢銷童書。

在國際兒少文學史上舉足輕重的愛蓮娜．法爾珺，不知何故，在台灣卻鮮少人討論。大家有所不知，她的作品在國外膾炙人口，傳誦至今，早已成為影響了足足五代人的共同記憶。名聞遐邇的「安徒生大獎」（Hans Christian Andersen Award），舉世公認為兒少文學最高獎項，因此擁有「小諾貝爾獎」（Little Nobel Prize）美譽。但問一九五六年創辦之初，究竟是由那位作家打敗各方高手，贏得首屆殊榮？答案正是愛蓮娜．法爾珺女士。

當時她是以一九五五年由牛津大學出版社印行的《小書房》（*The Little Bookroom*）一書拔得頭籌。然而在此前半世紀，法爾珺的經典作品早就家喻戶曉。早在獲獎之前，因為人見人愛，不識之無者甚至文盲，也能朗朗上口，肯定能流芳百世。

在法爾珺去世後的次年，「愛蓮娜・法爾珺紀念獎」（Eleanor Farjeon Award, 1966-）誕生，旨在肯定英語系對童書貢獻良多者。特別值得一提的是此獎的宏觀視野，在於給獎對象極其寬廣，絕對是此類獎項之最。舉凡作者、編劇、編輯、譯者、出版人、設計師、研究者、圖書館員等專業人士，以及書店、劇場、圖書館等組織、機構，都名列歷屆得獎者之屬。

在日本，法爾珺的作品是由童書翻譯巨擘石井桃子（ISHII Momoko, 1904-2008）引進。終身雲英未嫁的石井桃子，也是將波特（Beatrix

Potter, 1866-1943）的《彼得兔》（*The Tale of Peter Rabbit*）、米爾奈（Alan Alexander Milne, 1882-1956）的《小熊維尼》（*Winnie the Pooh*）、布魯納（Hendrik "Dick" Magdalenus Bruna, 1927-2017）的《米菲兔》（*Miffy*／*Nijntje*）等系列世界兒童文學作品，譯介到東瀛的關鍵人物，因此她對台灣與華文世界的深遠影響，與法爾珺一樣不容小覷。

即使連日本動畫泰斗宮崎駿都大方承認，他本人的價值觀以及歷年的創作，莫不大受法爾珺啟發。宮崎駿備受世人愛戴，台灣人尤其奉若神明，因而他的作品和一言一行，動輒引起跟風。然而即便石井桃子與宮崎兩位大師對著作等身的法爾珺無上推崇，在此間依然乏人問津翻譯出版，始終未能見到譯本通行，憾甚。至於原因何在？著實也頗令人費解。

葛綠珂的貓之死

葛綠珂寫情詩，縱使不改簡筆淡彩，一樣十分到位。她寫當代都會戀情，尤其引貓入詩的幾首，堪稱時代經典。

年度大獎揭曉，今年詩人專美於前。

美國客觀主義（Objectivism）女詩人露意絲・葛綠珂（Louise Elisabeth Glück, 1943-），因其「昭然詩意之聲，以素簡之美，普及了個體存在的價值」(for her unmistakable poetic voice that with austere beauty makes individual existence universal），榮膺二〇二〇年諾貝爾文學獎桂冠。

諾貝爾獎委員會主席安德斯・奧爾森（Anders Olsson）盛讚葛綠珂的詩，以追求清澄透徹為特色，充滿幽默與慧黠，坦率直截，質樸無華。尤其對一切的一切，一律凜然以對，這種從不妥協的境界，足以媲美美國現代詩先驅艾蜜麗・狄金森（Emily Elizabeth Dickinson, 1830-1886）。

發表詩作超過半世紀，常從自幼熟稔的希臘神話用典，葛綠珂的名詩不勝枚舉。詩集《野鳶尾》（*Wild Iris*）為她贏得一九九三年普立茲克獎（Pulitzer Prize），其中收錄的這首〈雪花蓮〉（Snowdrops），況遇她如何艱難地走過因喪姊、厭食症而蒼白晦澀的青春期，直白得最是令人不忍：

Do you know what I was, how I lived? You know
what despair is; then
winter should have meaning for you.

你可知我怎麼了，怎樣活過？你懂

何謂絕望；那麼
冬天理應對你別具意義。

I did not expect to survive,
earth suppressing me. I didn't expect
to waken again, to feel
in damp earth my body
able to respond again, remembering
after so long how to open again
in the cold light
of earliest spring--

沒料到會倖存，
塵土壓抑著我。沒料到
會再度甦醒，去感受到
濕答答土裡的身軀
能再度回應，猶記得
許久之後如何開展
在冷冽的光中
在初到的早春——

afraid, yes, but among you again
crying yes risk joy
in the raw wind of the new world.

害怕，會的，但再度與你不分彼此
高喊會甘冒喜悅之險
在新世界凜然的風中。

葛綠珂生於紐約長島（Long Island, New York），出身常春藤盟校，標準的學霸。雖說是標準上流社會菁英，但她素麗的文風毫無矯飾炫耀。此外，儘管葛綠珂的詩，往往披露人生於世，注定夢想與幻滅交織，但她的詩不該歸類為自傳式的自白詩（confessional poetry）。

之於我，讀她的詩是「亦步亦趨」的經驗。一句句尾隨，一步步踩著她的步履，一點點疊合她的心意，一顰一笑優雅輕巧、一靜一動有韻有緻。起起落落，走走停停，看遍小物微光之美，最後不知不覺一個人走出幽谷。再回首來時路，蕭瑟處但見青山橫翠微，也無風雨也無晴。

美國前總統歐巴馬（Barak Obama, 1961-）當年下台前的臨去秋波，包括頒贈國家級獎章表彰各領域的文化人，其中肯定華裔建築師林瓔（Maya LIN, 1959-）與詩人葛綠珂，最讓我有感。巧的是林瓔畢業於耶魯大學，葛綠珂則任教於耶魯大學。

時隔四年，美國作家再度得到諾貝爾文學獎。上次巴布．狄倫（Bob Dylan, 1941-）摘冠群情譁然，認為有過譽之嫌。個人也覺得，如果文學獎評審團為了與時俱進給獎，真要出奇制勝，肯定英文流行樂歌詞具備卓越文學性，那麼比狄倫更深刻也更資深的加拿大創作歌手、詩人李歐納．柯恩（Leonard Cohen, 1934-2016），應當更有資格。

儘管鐵粉們各擁其主，為心目中的熱門人選再度槓龜徒呼負負，譬如年年都被提起的暢銷作家村上春樹（MURAKAMI Haruki, 1949-）。或是博雅感性的書痴作家安妮．卡森（Anne Carsen, 1950-），個人也一直衷心期待她有朝一日可以掄元。但這次葛綠珂得獎，確實是眾望所歸，個人也十分認同。

畢竟，像葛綠珂這麼一個詩人，總能以詩為清涼音，化腐朽為神奇，如今處於疫情肆虐的年代，理當也能安撫滌淨眼下這個焦躁不堪紛擾的低靡時局，無論讀詩的人身在何處。誠如〈派斯克島〉（Presque Isle）

一詩的隱喻，災後重生更能珍惜生之恬然。

In every life, there's a moment or two.
In every life, a room somewhere, by the sea or in the mountains.
On the table, a dish of apricots. Pits in a white ashtray.

一生中，總有一兩個時刻。
一生中，某處總有一個房間，在海濱或是山中。
桌上，有盤杏，果核在潔白的煙灰缸中。

論者引薦評析葛綠珂的詩，一面倒側重其巧妙借物抒情，「小處著眼」的白描清新脫俗，彷彿她絕情於七情六慾。個人卻認為，葛綠珂寫情詩，縱使不改簡筆淡彩，一樣十分到位。她寫當代都會戀情，尤其引貓入詩的幾首，堪稱時代經典。

先舉〈獵人〉（Hunters）一詩為例，葛綠珂運用月夜裡街貓因天職所驅無情獵鼠的尋常，暗喻乾柴烈火的一夜情，亦復是天天上演的日常。男歡女愛，獵豔求愛，激情一度，交歡的欲仙欲死，一如閃燃的煙花易冷。一夕以為真愛臨幸，隨著清晨到來，昨日種種便如昨日死。

再看〈後記〉（Afterword）這首詩，則猶如呼應前詩般地如此結尾：

The mist had cleared. The empty canvases
Were turned inward against the wall.

迷霧已散。空白畫布
翻了面朝內倚著牆。

The little cat is dead（so the song went）.

小貓死了（曲子繼續）。

Shall I be raised from death, the spirit asks.
And the sun says yes.

And the desert answers
your voice is sand scattered in wind.

我該死而復活嗎？靈魂提問。
太陽稱是，
而沙漠答道：
你的聲音是風中紛飛的沙。

求愛的世間女子，在微溫的床笫獨自醒來，擁孤衾哭泣，頓悟一切船過水無痕，慶幸自己是一場愛情獵殺遊戲的倖存者。

現世黑影幢幢，貓捉老鼠時時上演。作為倖存者，劫後餘生的我們，
天天都該當作最後一天，全力以赴地活著。

水木茂的貓

貓女寢子是半妖，平時頂著西瓜皮的髮型，穿吊帶裙的打扮，一副少女的人模人樣，只有雙眼如貓般迷離。

自己沒小孩，但是與小孩有緣，我家是個大家庭，很長一段時間一起住在同一個屋簷下。因為我大伯極早婚，年輕時木訥的家父偏晚，而小叔叔又小了父親一齒年，所以從堂姪女、小堂妹到姪女，襁褓時期都幫忙分勞帶過，略盡了大家族中小姐姐照顧小姐妹的義務。

兩個小堂妹，一個萌又懂事，活脫當年卡通《小天使》（アルプスの少女ハイジ）裡中的小蓮（Heidi），另一個一笑就成瞇瞇眼，小名就叫「咪咪」。兩個小天使，如今都是好醫師，也都各自成了好媽媽。堂姪女小時是閩南人俗語講的「好笑神」，長大了反而酷酷地不太愛笑。親姪女從小乖巧，不太哭鬧。一天我抱著她在家裡逛花園，突然之間，她清楚說出了生平第一個字：「花」，錯愕的我急忙走告全家人，說這小妮子真有氣質。

一晃廿多年過去，當年抱在懷裡的寶貝姪女，現在已經長成為準獸醫。只可惜她決定專攻的是大型動物。她不是不愛小動物，只是天生過敏體質身不由己。不然一家酷愛收容阿貓阿狗小鳥會面臨的各種疑難雜症，待她出師，從此以後就可以麻煩她了。

十月三十一日對台灣人的意義，曾經只等於先總統蔣中正的冥誕，曾幾何時因為政治不再正確被淡忘，在此間已經變成只代表萬聖節（Halloween）。近年幾個大都市都對在這一天辦理大型活動趨之若鶩，以萬聖節之名辦理城市嘉年華，市長諸公也紛紛 cosplay 起漫畫人物，化身怪醫黑傑克（B·J）、哈利·波特（Harry Potter）、竈門炭治郎（鬼滅之刃）等角色，設法表現官民同樂的親民作風。

論起妖怪文化的鼻祖，「妖怪博士」水木茂（MIZUKI Shigeru, 1922-2015）當之無愧。他最膾炙人口的代表作《鬼太郎》（ゲゲゲの鬼太郎，1960），自連載出版便一炮而紅，影響近代甚鉅，妖怪風從此歷久不衰。

小時候看漫畫是禁忌，師長諄諄告誡，「好學生」、「好孩子」在學校和在家裡，都不被允許與漫畫共存。作為教育部突然實施「學區制」的示範小學，文化城名校省立台中師專附小（今國立台中教育大學附屬小學）因為位於中華路夜市所在，第一批入學生的原生家庭，一時難免來自三教九流。坦言之，當時許多中上層家庭措手不及，頗多疑慮恐慌。但單純的孩子們，彼此相處並沒有強烈的階級意識造成的隔閡存在。日後回想，自己反而很珍惜同學的背景如此殊異，不然像我這樣一個完全生長在所謂「正常家庭」的小孩，大概永遠沒有機會接觸到當時的社會現實。

迷你學校小班制的設計非常完美，同班或者同校的同學因而感情彌篤。即使老師們嚴加看管，同學們私下的交流依然熱絡，甚至相當刺激，尤其對「溫室裡的花朵」們，不可能觸及的一切，特別具有難以抗拒的吸引力。功課好壞是一回事，畢竟資質與家境不同，大家心知肚明。家長是盲人按摩師、夜市殺鱉宰蛇的攤商、經營瓦斯行、機車店的勞工階層，抑或是軍公教人員、社會賢達，說來在小朋友彼此心目中無大差別，不至於嚴重影響情誼。因為好奇是天性，默契十足地一齊打破小小的禁忌是人性，不管是分享不該吃的零食、使用不該用的方言、或者不該看的禁書，都是共享叛逆快感的來源。

即使像我這樣一個看似品學兼優的模範生，還是背著師長與長輩嘗試了他們認定的一些「小惡」。家教嚴格，放學也沒機會廝混，看兒童不宜的漫畫、吃來路不明的零嘴、玩無傷大雅的野孩子遊戲，犯行只能在午間休息時間。如今想來，多虧自己意志不堅定，學校教育場域也才略略提供了一點社會教育。

猶記得一回好奇接過前座同學pass過來的《鬼太郎》，趁午休裝睡，擱在大腿上一口氣偷看完畢。當時除了對主角的飛行工具「一反木棉」感到非常新奇，對裡頭「貓妖」這個角色覺得印象最深。據鬼迷們考證，貓妖「寢子」（ねこ）的原形，正是《怪奇貓娘》中的小綠（みどり）。

貓女也叫「寢子」，想必暗指她晝伏夜出的本性。日人也是如此稱呼貓，肯定語出同源。貓女寢子是半妖，平時頂著西瓜皮的髮型，穿吊帶裙的打扮，一副少女的人模人樣，只有雙眼如貓般迷離。不愛搭裡人類的她獨來獨往，唯獨一遇見「鼠男」，就要齜牙咧嘴，露出惡貓嗜鼠窮追不捨的凶相。雖然打擊臭鼠人有功，寢子卻因好奇翻閱鼠輩魔書，終致不幸被吸入書中消失無蹤；果然印證「好奇致貓於死」（Curiosity killed the cat）。

依考據生平得悉，水木茂幼時由鄰居景山房老太太帶大。家鄉眾人皆稱喪偶的景山婆婆為「鬼婆婆」，因為她最愛講述鄉野妖怪傳說。水木不為眾說紛紜所動，更絲毫不為所動，終其一生熱愛哥德（Gothic）風格，相信「人不是人，鬼不是鬼」，長年為死亡議題著迷多所鑽研，必然與此成長經驗息息相關。

水木茂的人生高潮迭起，幾部自傳讀來趣味盎然，光是書名就很有意思，長篇叫《屁一樣的人生》（屁のような人生），散文集則是《我真的是笨蛋嗎？》（ほんまにオレはアホやろか）他說到自己學齡前被當低能兒，因為不言不語被當啞巴。一直到四歲，突然第一次開口說話，講出的話卻是語驚四座的「貓咪便便」（ネコババ）。那時讀到馬上想起了姪女第一次開口的事，反差超大，不覺莞爾。

水木茂也寫到，自己年近四十還是光棍，拗不過焦急要他成家立業的父母去相親，儘管印象是「女方臉很長，但女方父親的臉更長」，畏於雙方家長的威儀，所以還是勉為同意，短短五日後便迎娶相差十歲的「老小姐」飯塚布枝（1932-）為妻。始料未及，打鴨子上架的包辦婚姻，卻琴瑟和鳴相當幸福，兩個女兒不約而同都在平安夜出生，一

家和樂至其終壽。

不比水木茂傳記可讀性高，遺孀的回憶錄《鬼太郎之妻》（ゲゲゲの女房，2008），則相對平實不甚出色。但被改編成同名日劇後，卻轟動一時，也曾在台灣播出。附帶一提，其實生前長年擔任「世界妖怪協會」會長的水木茂，七十歲時曾經以會長身分來台參訪。由媒體報導得知，妖怪達人的他，不只興沖沖跑去體驗「觀落陰」，也風塵僕僕趕到台南，參加西拉雅族（Siraya）的傳統祭典。

個人跟水木茂的另一段緣分，則寄在遙遠的南半球南島文化圈。一次在巴布亞紐幾內亞（Papua New Guinea）首都莫爾茲比港（Port Moresby）國際機場等待轉機，長達六小時痴痴等待的煎熬，只能靠翻遍候機室雜誌書籍打發時間，不意竟然讀到了水木茂與當地原住民相知相惜的情誼報導。原來「二等兵武良」二戰時在巴布亞紐幾內亞服役，染瘧疾住院時又不幸遭遇空襲，有賴原住民伸出援手相搭救，痛失左臂的他才倖存下來，最後得以順利復原歸國。

睽違廿多年之後，水木茂故地重遊拉包爾島（Rabaul），沒想到當地族人竟然合唱水木當年教他們的日本童謠〈あめふり〉（下雨歌）列隊歡迎他。感動之餘，淚眼婆娑的他，回贈了車蓋繪有鬼太郎的貨車致謝。因為舊情綿綿，水木茂一度打算移居紐幾內亞最後未果。而這一闊別又是廿年，他才離開巴布亞紐幾內亞的南島母親國福爾摩沙不久，水木趕返拉包爾島，這次是為救命恩人送終。

後來上 YouTube 尋歌這才恍然大悟，原來這就是小時曾經朗朗上口的〈下雨歌〉，當年是跟著榮星兒童合唱團錄的黑膠唱片學會唱。每回放學時遇上西北雨，在門廊下等待父母親送傘來時，望著淅瀝淅瀝、嘩啦嘩啦直直落的雨，總會忍不住在心裡哼起這條歌，安自己惶惑的心。

儘管水木茂笑稱自己多災多難，「一生是鬼太郎的樂園」，卻又欣然接受命運多舛，因為他深知：「只要結局圓滿，就是幸福的人生！」寥寥一句，偉哉斯言。面對生命與生活，身為人存於世，我們的生存之道無他，無非就是接受自己，與自己和解，自然便能與他者與世界和平共存共生共榮。

柯比意與貓

許多細部設計大有蹊蹺，都是專程依照貓的身形、尺寸、喜好來設計，這是他母親唯一的特殊需求，一樣愛貓如痴的柯比意，自然從善如流。

抱著貓拍照的建築師很多，喜歡貓的建築師也好多，家裡養貓的建築師更多，但是一旦要挑出在重要的建築設計裡，落實專門為貓量身打造空間需求的建築師，那就寥寥無幾了。這些屈指可數的建築師裡，名氣最大者，當屬現代建築史上機能主義（Functionalism）的泰斗柯比意（Le Corbusier, 1887-1965）。

時至如今，柯比意設計的十七件經典建築，悉數為聯合國教科文組織認定為「世界有形文化遺產」。其中年代最久遠、面積最小、最私密的作品，莫過於他為父母親親手設計的「湖畔別墅」（Villa Le Lac, 1924）。嚴格說來這也是柯比意首次完整實現設計理想的「起家厝」，「小房子」（Un Petit Maison）在他心目中占有的分量無以復加。

這座房子落成卅年之後，柯比意這才發表了關於《湖畔別墅》相關設計的書。他追憶那兩年間，他不時搭著東方快車（Orient Express），往返穿梭在米蘭與巴黎之間，唯一不變的行囊，就是口袋裡揣著的這份草圖。這是基地不明的一項設計，也是房子尋找土地的一紙計畫。與表兄弟搭檔，柯比意先完成了設計方案，苦尋多時之後，終於在日內瓦湖畔東側，如願找到了一處幽靜處作為建築基地。

座落在圍牆內的這座平房，室外環屋有庭院，多功能平屋頂也充作寬敞的陽台。起居室的連續窗，形成採光與框景並融，湖光山色盡收眼底。色彩基調從外牆白到內牆，唯有在牆壁斷面上色增加表情。樓地板面積僅六十四平方米的室內，一律配備移動式、摺疊式、複合式家具，在能夠因時制宜下，產生多變多樣性。

約莫廿五年前到此朝聖，記得當時對外預約開放參觀屆滿十年。赫然發現許多細部設計大有蹊蹺，發問探究方知，原來都是專程依照貓的身形、尺寸、喜好來設計。母親作為他的業主，這是她唯一的特殊需求，一樣愛貓如痴的柯比意，自然從善如流。

新居落成，父母遷入，父親一年多後便撒手人寰。很愛這房子的母親在此終老，享壽百歲。孰料不過五年之後，柯比意在海泳時心臟病發，不幸溺水與世長辭。他的哥哥也曾在此居住，緬懷家人，直到房產正式納入柯比意基金會財產為止。一家人在此共賦同居、共享天倫的住家，這是真正的家。

時至今日，因應時空與使用目的改變，「小房子」難免經歷整修增建，但是經典依舊。「室雅何需大，花香不在多」可謂設計理念，「麻雀雖小，五臟俱全」則是設計準則。一切完全符合柯比意建築設計遵循五大要素的堅持，這些稍後也在「薩佛伊別墅」（Villa Savoy, 1931）的建築繼續發揚光大。

現在建築人習慣暱稱他為「柯布」（Corbu）的瑞士裔法國籍建築大師柯比意，本名是落落長的 Charles-Édouard Jeanneret-Gris。鑒於本名十分拗口不好記，所以他從一九二〇年起，就決定改用「柯比意」當作筆名和藝名。柯比意是母親娘家的姓氏，由此可見，柯比意與母親的感情彌篤。不過，就是因為這個別名實在太響亮，以致於反客為主，日後大家反而記不得他的原名。

他的故鄉是製錶重鎮拉紹德封（La Chaux de Fonds），位於瑞士西部法語區山間，離法國邊境不過幾公里之遙。母親是鋼琴老師，父親是製錶師。在音樂與鐘錶工藝的耳濡目染下，柯比意從小明白一個道理：要如何善用最少的材料在最小空間中創造最多變化。

不同於一般家長，父母從小送他與哥哥去上由「幼教之父」福祿貝爾（Friedrich Fröbel, 1782-1852）創辦的實驗學校接受啟蒙。鼎鼎大名的福祿貝爾本業是建築師，公認是現代學校教育的先行者，對學前教育戮力絕深，園丁培育幼苗的教育理論以及「幼稚園」（Kindergarten），正是他影響後世至今的創制。幼稚園很有特色，不只五育並重，教導小孩認識自然，還利用幾何形的積木當作教具，透過這些「禮物」（Spielgabe）進行遊戲益智，誘發小朋友自主學習。

中學畢業後柯比意本想繼承父業，又很想當藝術家，於是選擇就讀當地的藝術學院研習裝飾藝術，專攻鐘錶雕刻。新藝術（Art Nouveau）瑞士分支松派（Style Sapin）宗師雷普拉德尼葉（Charles L'Éplattenier, 1874–1946）時任校長，他身兼畫家與建築師雙重身分，酷愛登山與大自然。在他的循循善誘下，柯比意開始與建築結下不解之緣。

柯比意最後雖然沒轉到建築系，從此卻在建築界發光發熱，和建築師萊特（Frank Lloyd Wright, 1867-1959）、密斯（Ludwig Mies van der Rohe, 1886-1969）一起並稱為現代主義（Modernism）的三大巨匠。有趣的是，他們三位原本都不是念建築出身。

柯比意認為藝術與建築密不可分，因此涉獵廣泛，集畫家、雕塑家、

建築師、室內設計師、景觀師、都市計畫師等身分於一身。建築功能主義的理論，可以追溯到古典建築之父維特魯威（Vitruvius）講求的三原則「實、用、美」（firmitas, utilitas, venustas）。

柯比意觀察到工業時代都市化的建築的需要大不同，建築量身訂作緩不濟急，應該考慮標準化上生產線量產，照顧所有人的需求。柯比意認為建築物只要模組化就可以大量建造，方便像樂高積木（Lego）一樣可以排列組合堆疊，省時省力省錢。這起初驚世駭俗的主張，後來因都市更新需要迅速建設大量平價集合住宅，造福了許多第三世界國家。連墨索里尼（Benito Amilcare Andrea Mussolini, 1883-1945）主持下的法西斯社會住宅，也服膺柯式建築，不過這也讓他惹出敵我不分的非議。

房子太小住起來不舒服，太大又浪費，所以柯比意建議大家採用「黃金模組」，依照能讓人類最舒服的尺度，來發展一切的設計。他心目中的理想建築，要好用、好看、好蓋、好便宜；公共空間擴大由大家一起共享，鄰里聯絡方便，各種生活機能應有盡有，讓人彷彿住在一艘遊輪上一般舒適愜意。

柯布認為建築就是革命，提出「新建築五點」：底層挑空、自由平面、自由立面、帶狀開窗、屋頂花園。

他蓋房子用混凝土為建材，以鋼材為骨架，內部不再需要滿滿的柱子支撐，大大節省了空間和時間。無梁柱的方盒子裡，室內空間大又流暢，不需要隔間，連門都不太需要。他喜歡純粹的色彩，建築物的裡裡外外，適當地塗上水泥漆，建築便成了藝術品。

為了遮風避雨，以前屋子的窗戶都是小小的一個個獨立，陽光照不進來，風也吹不進來，不健康，也不明亮。柯比意則是非常講究採光，連續的大面窗讓景觀開闊，環繞建築的帶狀窗好像絲帶，把建築物當禮物包裹起來。喜歡設計家具的他，認為家具、室內裝修也要一體考量。他最愛的躺椅，設計也讓鋼骨外露，搭配簡潔的皮革。這在物資缺乏的時候，可以節約原料也降低售價。

其他建築師往往不住在自己的作品裡，力行簡樸生活的柯比意是例外。自從按照理想打造了自宅與工作室合一的公寓，他就與太太宜鳳（Yvonne Gallis, 1892-1957）和愛犬幸福入住，早上畫畫，下午做設計，直到形影不離的一家三口都陸續過世。他的雪納瑞寵物犬，因為鬍鬚長得像刷子，所以名字叫做「畫筆」（Pinceau）。

因為務實又富創意，柯比意被尊奉為機能主義建築大師，獲獎無數。為了肯定他劃時代的貢獻，二〇一六年聯合國教科文組織決議通過，將他設計的十七件遍布在三大洲、七個國家的代表建築，一次列入世界有形文化遺產。以現代建築設計獲此殊榮，他是史上第一人。

卡蜜兒與貓

雕塑家與貓的遇合一點也不浪漫；雙方因落魄而結合，談不上情投意合，更不至於是為了相濡以沫吧。

根據當年的押解紀錄記載，當巴黎警佐破門而入行使強制拘提之時，發現足不出戶多時的藝術家卡蜜兒・克勞岱（Camille Claudel, 1864-1943），形銷骨索不成人形，神情憔悴陰鬱，目光失神呆滯，一整個行屍走肉，完完全全缺乏現實感。

卡蜜兒的工作室漏風漏雨，濕冷蒼涼，偌大的空間空蕩蕩蒙塵厚積，除了一張孤零零的扶手椅別無長物。難以想像長期以來，卡蜜兒如何在此安身棲居，又在何處安眠。

蕪雜的工作室裡，滿地散落的都是精心傑作的碎片，各個都是由傷心欲絕的她親手砸碎。之前卡蜜兒偶爾還願意走出家門，往往卻是為了拖著板車，把嘔心瀝血完成的作品載至河畔，然後將心血結晶一個個沉入塞納河（Seine）。河伯因此也許最能解得，卡蜜兒的才情何等出彩，但她又何等絕望。

當時的她一無所有，失去了情人羅丹（Auguste Rodin, 1840-1917）、失去了兩人孕育的結晶、失去了國家的委託案、失去了父親，不見容於期待她安分為妻、為女、為良家婦女的父權社會，失去了愛情、家庭、自信，也失去了自己。

負責拿人的警官，報告筆下的一則細節，令人怵目驚心，勾起的情緒，甚至已經臨界於驚悚邊緣。警務紀錄裡提到，卡蜜兒寡居，本該形單影隻，但放眼望去，卻有滿滿一屋子的流浪貓。極目所及四處都有數不清野貓盤據，各自劃地為王。

不由自主設身處地，陷入一連串的推敲揣想……

也許世道現實，只剩貓兒不嫌棄卡蜜兒；又或許她已經恍神自視為貓，只是天曉得遺世獨立的卡蜜兒，已經多久未曾見過半個人影、開口說過半句人話；還是好奇又調皮的幼貓會逗她開心，幫卡蜜兒帶來久違的笑意與輕盈？

貓兒自顧自地戲耍，東碰一下，西摸一下，躍上膝，攀上肩；也許個性親人的貓咪會讓她渥暖，腳上躺一隻，胸口煲一隻，懷裡也揣一隻；也許他們四目交望，相看兩不厭，化彼此成眼底與心底的永恆映像；也許他們相互擊掌，耳鬢廝磨，絮絮叨叨說盡戀人絮語……

雕塑家與貓的遇合一點也不浪漫；雙方因落魄而結合，談不上情投意合，更不至於是為了相濡以沫吧。破瓶子合計破罐子破摔，理當只是各取所需。兩造自來自去，互不干涉，也就相安無事。一想到是成群的街貓，給了槁木死灰的一代才女卡蜜兒，在人間有意識享有的最後一丁點慰藉、溫暖、凝視、撫觸、擁抱，著實就忍不住要泫然泣下。

長久以來，克勞岱家的一家之主是父親 Louis-Prosper Claudel（1826-1913），他不僅鍾愛這前世情人，也是至死依然相信長女卡蜜兒才情絕世的唯一家人。他人在世時有其撐腰，接濟、寫信、探視、止謗，卡蜜兒備受庇蔭，於是可以自行其是，專心發揮。一待唯一當她為心頭肉的慈父故去，親娘、親弟終於可以作主，便迫不及待速速安排卡蜜兒銷聲匿跡。

從此卡蜜兒身繫囹圄終生，被囚禁於精神療養院度過餘生。經過長期治療，縱使醫生認定她毫無攻擊性，自主能力無虞，情緒穩定，舉止合宜，除了緘默寡言，與常人無異，家人依然不聞不問，更不願接她回家，只是定期埋單。凡此數十年，唯一曾來探視卡蜜兒的，只有昔日曾經一度租屋同居習藝的異國友人夫婦 Jessie Lipscomb 及 William Elborne。他們見證了也拍下了卡蜜兒最後的嫻靜與哀愁。

一致同意送她入院的家人，不曾前來探視半回，冷血無情匪夷所思。顯然易見，血親視墮落失德的卡蜜兒為家門不幸，徹底敗壞家風，但求徹底切割，從不希望卡蜜兒有朝一日能康復離開，重返家園，重拾創作，重返社會。直到她逝世後七年，卡蜜兒的弟弟保羅·柯勞岱（Paul Claudel, 1868-1955）才終於為她舉行了紀念展，難免會覺得多少是基於愧疚與補償心理作祟。

其實，就像才情過人的卡蜜兒一直活在大師羅丹的陰影之下，卡蜜兒的弟弟保羅，也是在才女胞姐陰影中辛苦成長的一個存在。雖然當時他堪稱睥睨萬方的一號人物，卻還是難逃重重陰影的籠罩。遺憾的是手足之情本該濃於水，惺惺相惜，卻仍敵不過瑜亮情節作祟。

姐弟倆感情彌篤倒是真，卡蜜兒完成的第一件肖像以及最後一件封筆之作，雕的都是保羅。對稱胞弟為「小保羅」的卡蜜兒，尤其喪父之後，即使在療養院獨活至死的漫漫時期，保羅都是她唯一的寄託。

保羅身兼詩人、劇作家、外交官三種專業身分於一身，而且這樣的「斜槓人生」他表現得樣樣出色。作為詩人，他首創由空白行串聯的詩句，朗誦者得鼓足肺容量一口氣念完，深具實驗性，相當有特色。保羅的劇作，便以長詩為單元發展而成，在渴望劇場注入新氣象的當時，大獲好評。卡蜜兒是他的謬思，他幾度在構思角色時，確實以姐姐的特色為藍本。

保羅．克勞岱在詩作與劇作的優異成就，為他贏得了諾貝爾文學獎的提名，而且足足有六次。遺憾的是儘管呼聲高，末了卻都是落得只聞樓梯響。筆者無意苛刻，但保羅．克勞岱的遭遇，完全可以類比為當今文壇的村上春樹的處境，年年熱門、年年陪榜、年年落空。

作為外交官，保羅長袖善舞，所到之處縱橫捭闔，如魚得水。他的外交生涯一路坦途，派駐過的各大重要城市與首都，包括福州、天津、南京、東京、里約、華府，遍及亞洲、美洲。

被譯為數十種文字、暢銷世界的《丁丁歷險記》（*Les Aventures de Tintin*）系列漫畫，關於中國的幾部特別引人入勝。如果不是因為確知，比利時漫畫家艾爾吉（Hergé / Georges Prosper Remi, 1907-1983）是以至交華人張充仁（1907-1998）為原型發想，還真會認為，艾爾吉是以一八九五至一九〇九年間派駐中國的保羅．克勞岱為雛形，打造了丁丁這個角色。

約翰．湯姆生的貓事

令我眼睛一亮的意外發現，便是鏡頭中同時入列的那群貓咪，這極有可能是華人史上第一張有貓清楚自在出現的照片。

近代攝影大師約翰．湯姆生（John Thomson, 1837-1921）的紀實攝影，對傳播真實亞洲影像予歐美世界，貢獻良多。若論及台灣人事地物的影像，能夠首次在世界史上曝光，湯姆生的實質貢獻，難出其右。

一八七一年，即將結束多年亞洲羈旅的攝影家湯姆生，在廈門巧遇蘇格蘭愛丁堡同鄉馬雅各醫師（Dr. James Laidlaw Maxwell, 1836-1921）。與馬偕醫師（Dr. George Leslie Mackay, 1844-1901）同為蘇格蘭長老教會宣教士的馬雅各醫師，兩人一北一南在福爾摩沙島行醫佈道。

為了一圓踩踏美麗島之夢，湯姆生毅然決然隨著馬雅各返回僑居地，攜帶數百公斤的攝影器材，在一八七一年四月二日，從打狗港上岸，進行了為期兩周的攝影之旅。旅台時間雖然極其有限，足跡卻遍及南台灣的海濱、山巔以及城鎮，最遠深入荖濃溪盡頭。湯姆生匆匆來去，留下的台灣影像儘管不過半百張，但是卻立下了前所未有的歷史豐碑。

身處歐美世界之人，借重湯姆生親手拍攝顯影的照片，得以一窺福爾摩沙真面目。台灣從此不再只是個傳說，正式進入了影像可徵的信史。世界是透過湯姆生的相片，才看見了台灣的第一眼。遺憾的是，儘管他鏡頭下的福爾摩沙無比動人，迄今在台灣的教科書、官方史的選圖上，往往緣慳一面，也難怪他的大名與大作，國人知悉者寥寥無幾。

由於深富人道精神，集地質學家、植物學家、攝影家、旅行家、作家等身分於一身，湯姆生旅居遠東數十年間，為東南亞各國拍下前所未見的影像，在資訊的傳播力、知識傳授力與美學的感染力上，總能一次到位，以豐厚的人文色彩超越其時人，甚且讓後人也難望其項背。因此隨著一連串的出版品問世，湯姆生的照片與札記，不只在當初發表時驚豔萬方，為其贏得美名，也一舉成為雋永的傳世經典，咸信為認識影像亞洲不可多得的寶庫。

湯姆生膾炙人口的神來之筆不勝枚舉，其中收錄在他《行過中國》（*Through China with a Camera*）這本攝影集裡的珍貴影像，更是比比皆是，幾乎張張引發深度討論爬梳，令人津津樂道傳頌。唯獨有一張有貓入鏡的相片，卻乏人著墨深究。

據湯姆生的筆記得知，這張貓與人同框的照片是在九龍（Kowloon）拍攝。當初的九龍半島是隸屬廣東省的窮鄉僻壤，一片荒蕪，與眼下是香港特別行政區轄下的繁華鬧市，熙來攘往，夜夜笙歌，全然不可同日語。

照片中的主角是甫在屋外用過餐的一家人。裝束長相一般般的女主人，渾身包得嚴嚴實實佇立，面容滄桑的老父、丈夫薙髮蓄辮，與半大不小、赤著腳丫的一雙子女落座，一幅尋常人家三代同堂全家福的畫面。

鏡頭裡的土坯屋的樣式簡陋，夯土的地面光禿禿別無長物，小圓桌上兩菜一湯盤底朝天，餐盤、飯桶、竹椅什物紛然，旁觀的鄰居人影模糊，都不甚出彩。令我眼睛一亮的意外發現，便是鏡頭中同時入列的那群貓咪。

據考證個人大膽假設，這極有可能是華人史上第一張有貓清楚自在出現的照片。隨著攝影器材防手震的功能日益強大，如今抓拍（snapshot）

動態成像清晰再不成問題。不過這在一個半世紀之前，談何容易。湯姆生卻總能克服萬難，集技術性、紀實性、藝術性於方寸之間，教人不由得嘖嘖稱奇。

幾隻貓咪花色不一，黑貓、牛奶貓、虎斑貓俱全，有大有小，想來也是貓家將三代同堂。感到特別饒有興味的是，這張照片若不仔細瞧，完全看不清究竟藏了幾隻貓。嚴格算來是四隻半：兩隻匍匐桌底，一隻蹭著桌腳，一隻背著鏡頭側躺，還有一隻前腳已經出了鏡。

攝影術發明於一八三九年，一八六〇年代行遍中土采風的旅行攝影家湯姆生，當年是以玻璃板為底片，採用濕版攝影術（collodion）拍照。濕版攝影畫質細膩，可以捕捉諸多細節，但曝光時間相對久，甚至需要長達一、兩分鐘。大人、女孩好配合，好動的小男生已耐不住，何況素來旁若無人自由自在的貓。

細細盤點，這一窮二白的底層人家，原來組了一個「十口」之家。湯姆生走拍中國，時值清代太平天國（1851-1872）肆虐的動盪時期。從道光末年混亂到咸豐年間，明明時局板蕩，民不聊生，可這一家子蓄貓如許，十分令人意外。雖然可想而知，貓應非寵物，當時飼養，大抵是為了鎮守倉儲除卻鼠輩。湯姆生藉此照與其他沿途街拍，透過看似無關時局的人間影像，舉重若輕地諷刺滿清的敗相與頹圮。

歷來華人世界對貓，一般而言談不上特別友善。除了宋代人民獨排眾議，貓道盛行，此外沒有哪個時代特別寵貓。華語區沿襲數千年的十二生肖制，連虛構的龍都有了，貓卻從不入列。想來很可能單純因為貓是外域引進的生物，進入中土的歷史遠遠短得多。姑不論有多少想像力豐富的鄉野傳說，想盡了辦法設法找理由解釋，貓的缺席卻是不爭的事實。

貓之所以不待見於華人，我家祖母的說法很經典，非常具代表性。從小她老愛灌輸我們小孩，狗忠實可靠，可貓極不老實。貓生性野，會偷、會濫殺、會閃躲、會叫春、會帶跳蚤，還最愛光天化日之下晝寢，偷懶耍廢，不值得養。貓是物資尚未充裕的農耕社會裡暗黑存在的象徵。

坦白說，管我們孫輩挺嚴的奶奶，倒是不曾攔阻過我們這群毛小孩收養毛小孩。不論是我們從陰溝裡救起的狗崽子、樹下撿到的幼雛、遠房親戚帶來的猴子、蓬鼠（松鼠）甚至是園子裡的各色毛蟲，但一遇貓咪，就是一概免談，再惹人憐愛，從來進不了家門。即使每遇野貓不小心亂入奶奶花木扶疏的庭院，或是在她曬了瓜果的屋頂上飛簷走壁，老人家也要氣呼呼地揮手跺腳，厲聲斥喝邋態的貓以驅之別院。

母親娘家住的是日式宿舍，貓來貓去自自然然，日式教育下成長的外公、外婆、姨舅們，便覺得貓安靜恬適很能自處，雖說雙方家境都不寬裕，對貓的態度和看法截然不同。母親對於從沒和貓兒生活過的我們，對貓早早持著偏見，想必很無奈。母親聽我們姐弟因為夜半貓群發情鬼叫幹架擾人清夢，你一言我一語地詆譭貓的喧擾，幾度不禁發言為貓申冤，說：「你們都沒養過貓，不知貓的好！」

聞言陷入緘默，略加思索便完全能夠理解，母親即便再愛貓，那時的氛圍也容不得她說上好話，更養不得。在以前那樣一切長輩作主的時代，嫁做人婦者，唯有識大體逆來順受，有意見想法明說不得，只能一個勁往心裡擱。

母親也數度提起過自己的經驗，「你們都不曉得，冬天又濕又冷，一個人讀書練琴時，有貓窩在懷裡呼嚕呼嚕，好暖好暖……」母親拗不過音樂老師外公，堅持七個子女之中，至少非有一個繼承衣缽學音樂不可，於是眼見其他兄姐不依，懂事的母親放棄文學夢，乖乖地走上音樂之路。儘管是師範大學音樂系系狀元上榜、第一名畢業，母親始終認為自己才華有限，更缺乏企圖心，所以才大二就訂婚，一出校門就結婚，求藝之路到此中止，她的遭遇猶如縮影，一如受制於舊時代禮俗戕害的那些眾家姐妹。

當年的母親清瘦甜美、才思捷敏、想像力豐富，毅然嫁作謝家婦，偕認命承攬一切的父親照扶一大家子，偏又遇上我這長女出世就多災多難……問她如何撐過這一甲子，很有個性的母親並不說如何含辛茹苦，淡淡然只回了「為母則強」四個字。

不善談情說愛的父親，當年初出茅廬，卯足勁參加台北實踐堂的競圖，便一舉掄元，榮獲中國工程學會全國建築設計首獎。實踐堂開啟了他的建築師生涯，中泰賓館、中華體育場，都是父親的代表作。不過他也因此積勞成疾，不得不在盛年中斷大好建築生命，離開台北回到台中。但是他的建築，紮紮實實造就了至少三代人不可磨滅的歷史記憶。

時光遞嬗，再經典的建築，往往也難敵商用土地開發的誘因。中泰賓館如今是文華東方酒店，中華體育場已成了小巨蛋，而實踐堂目前是國家圖書館附屬的藝術暨視聽資料中心。

實踐堂是台灣文化建設的里程碑，畢竟這是台灣第一座專為表演藝術活動設計的藝文場館。一個當初才服完兵役退伍的新人，無人脈無資源，何以能初生之犢不畏虎？最大的動力及願力，我總相信必定是來自至愛。

除了發揮專業所長滿足需求，旁人不會知道，父親在設計中，究竟還另外傾注了多少至熱的感情和至誠感謝。也許，還有相當的歉疚？無論如何，父親藉此同時坐實了對藝術的愛以及母親的愛。

貓·史蒂文斯與破曉

名人愛貓，便直接以貓為藝名，最享盛名的莫過於貓·史蒂文斯了，據悉只因為當時熱戀的女友說他的眼睛迷人，像極了貓眼。

如果不是諾貝爾文學獎得主魯西迪（Sir Ahmed Salman Rushdie, 1947-）因為《魔鬼詩篇》（*The Satanic Verses*, 1988），被穆斯林信徒視為嚴重褻瀆了先知穆罕默德（Muhammad, 571-632），一九八九年正式對他發出死亡追殺令（death fatwa），連署人當中赫然出現 Yusuf Islam，貓．史蒂文斯（Cat Stevens, 1948-）這個名字，恐怕注定消失在上一個千禧年。

名人因為愛貓，便直接以貓為藝名，最享盛名的莫過於英國熱門樂手貓．史蒂文斯了。原名 Stevens Demetre Georgiou 的他，之所以取此藝名，據悉只因為當時熱戀的女友說他的眼睛迷人，像極了貓眼。這兩年雖有嶄新世代的饒舌歌手「蜜桃貓朵佳」（Doja Cat, Amala Ratna Zandile Dlamini, 1995-），藉著社群網絡急速傳播另類崛起，紅遍半邊天，但是否能持之以恆，尚在未定之天。

貓．史蒂文斯的父親是希臘人、母親則是瑞典人，上的是倫敦的天主教名校，所以自幼在東正教（Orthodox church）、基督教浸信會（Baptist church）、天主教並存的奇異環境下成長。不過一九七七年他跌破眾人眼鏡，選擇皈依了伊斯蘭教，次年也易名為Yusuf Islam。此後十餘年，他從音樂界銷聲匿跡，潛心從事伊斯蘭社區教育的志業。對於魯西迪事件引發側目，他澄清遭誤解，「Yusuf Islam」重申他支持世界和平與信仰自由，從未贊成盲目的宗教狙殺令。

千禧年過後幾年，貓．史蒂文斯又復出傳播音樂。但曲風大改，從過去樂迷所熟悉的民謠風、Pop、搖滾樂，幡然轉向潛心創作伊斯蘭教聖樂。儘管十餘年來他不再與西洋流行音樂為伍，二〇一四年他依然順利進入美國「搖滾名人堂」（Rock and Roll Hall of Fame），畢竟他在當代音樂史上的地位，難以磨滅。

雖然已經確認將以貓名傳世，貓．史蒂文斯首發的搖滾單曲，其實是〈吾愛吾狗〉（I Love My Dog, 1966）。歌詞以「我愛你一如吾愛吾犬」起頭，年方十八歲的少男，以清亮的嗓音唱出純純的初戀（puppy love）將逝，頗得一九六〇年代流行樂暢行的純真曲風的真傳。

事業剛起步，他卻因肺結核嚴重感染病危，歷劫歸來的貓．史蒂文斯大徹大悟，自此追求精神性。當時序進入一九七〇年代，貓．史蒂文斯唱紅、寫紅的成名曲已經不計其數，光是《Tea for the Tillerman》

（1970）、《Teaser and the Firecat》（1971）連續兩年發行的兩張專輯，唱片銷售便雙雙創下了「三白金」的驚人紀錄。剛走出鬼門關的貓・史蒂文斯，還親自為專輯畫了封面插圖、編寫文案，後來這些內容也編輯成為同名的童書出版。

貓・史蒂文斯兩張「三白金」專輯裡所收錄的名曲不勝枚舉，如〈Father and Son〉、〈Hard Headed Woman〉、〈Into White〉、〈Morning Has Broken〉、〈Moonshadow〉、〈Peace Train〉、〈Sad Lisa〉、〈Where Do the Children Play?〉、〈Wild World〉等等，莫不是傳唱至今的經典名曲。不過倘使以膾炙人口的程度評判，〈破曉〉（Morning Has Broken）應可稱為箇中之最。

不過正如貓・史蒂文斯二〇〇六年的名作〈The First Cut Is the Deepest〉，被四位歌手翻唱一樣成為暢銷金曲一般，〈破曉〉並非完全由其原創，而是由他以文字、音樂與歌聲完美轉譯。

給予貓・史蒂文斯靈感的原有歌詞，出自〈春天首日的晨歌〉（A Morning Song For the First Day of Spring, 1931），選自牛津大學出版的文集《兒童鐘聲》（*Children's Bells*, 1957），作者是英文童書與童詩界的第一把交椅愛蓮娜・法爾珺。

嚴格說來，法爾珺做的只是填詞的工作。為了拉近教會會眾與一般社群民眾的距離，威爾斯長老教會的虔誠長老艾文思教授（David Evans, 1874-1948），改編了蘇格蘭高地蓋爾民調（Gaelic Melody）。

一九三一年出版的《禮讚之歌》（*Songs of Praise*），主編狄爾墨牧師（Percival Dearmer, 1867–1936）收錄了這首採集自蘇格蘭慕爾（Mull）島布內森（Bunessan）古調的記譜，並有感而發地呼籲有志者能奉獻好詞，讓代代相傳的古調重獲新生，成為祈求日日好日的讚美詩。

對蘇格蘭發起的「工藝美術運動」（Arts & Crafts Movement）起了關鍵作用的狄爾墨牧師，主動邀請法爾珺共襄盛舉，她作為信仰虔誠的天主教徒從善如流，便將〈晨歌〉依照需求改寫定稿。至此，詞曲終於同步到位，也成為貓・史蒂文斯再賦予新意創作〈破曉〉的雛型。

在貓・史蒂文斯專輯《Teaser and the Firecat》（1971）的版本走紅全球之前，演唱〈破曉〉這首歌的場合，其實往往是在為幼童舉行的彌撒中，抑或是葬禮上獻唱。不過這又何妨，一首動人心弦的歌，一旦擄獲人心，便會打破時空制限傳諸千里，從此不再屬於個人、一地、一時所獨享，已然是人類共有的文化資產，人人都得以善用傳承。

無怪乎過去半世紀以來，〈破曉〉被轉譯為各種主要語言傳唱，詮釋見仁見智，腔調調性迥然不同，饒有意思。日文版〈雨にぬれた朝〉保留了聖歌的特質；德文版〈Schön ist der Morgen〉，最有名的版本反而是由「希臘國寶」Nana Mouskouri（1934-）主唱；法文版〈Matin Brisé〉，最受歡迎的版本，卻是由原籍柏林的香頌名歌手 Eva（Eva Killutat，1943-）主唱；而荷蘭文版〈Licht Op De Lakes〉，則是由出身荷蘭小鎮 America 的團體 Rowwen Hèze（1985-）竟以派對風演繹。

長跑香江的人也未必注意到，本島之外，有許多蕞爾小島環伺香港。有幸在香港友人引領之下，幾度踩踏外島略窺祕境。方知諸島保留的風土、習俗、人情，實在遠比過度開發的本島，更加迷人更富特色。眾多外島中，有一座喚作「晨曦島」，目前作為福音戒毒中心。船行經過小島時，友人告知，貓．史蒂文斯版的〈破曉〉，據說正是勒戒者的最愛，視為「招牌歌」。

這兩年來香港情勢不變，每每看到人民知其不可而為之地表態爭取自由，激烈的衝突，總是每況愈下，令人不忍卒睹。雋永的歌聲猶在耳，但卻不知破曉的晨曦幾時再現？香港人民是否依然感到日日希望無窮？

奈良美智與貓王

因為雙親工作忙碌，哥哥們自己玩自己的，奈良美智幼時只有寄情於收養的一隻流浪貓，他說：「比起與人言語交談，與動物交流我更擅長。」

總統府「御貓」現在有兩隻：蔡想想（Cookie）和蔡阿才，姐弟倆都是來自東部的原民部落。虎斑母貓蔡想想是花蓮秀林風災的受災戶，由時任立法委員的蕭美琴（1971-）勘災發現，搶救下來成為蔡英文（1956-）主席的寵貓，而橘色虎斑公貓蔡阿才沒有洋文名，受贈於台東巴喜告部落的風梨園農戶。

一九九六年中華民國總統人民直選之後，三位前總統李登輝（1923-2020）、陳水扁（1950-）及馬英九（1950-），循媒體披露得悉，家中豢養的寵物都是狗為主。阿扁為推廣台灣土狗認養的「勇哥」、馬英九為推動收養流浪犬認養的「馬小九」，都讓人記憶猶新，種種軼事讓人民茶餘飯後津津樂道。

其實學農業經濟出身的前總統李登輝，官邸裡極盛時期曾經養了六隻貓、幾十隻黃金獵犬，甚至還有一群安哥拉種羊。安哥拉種羊得自友邦餽贈，養在官邸外草坪。至於狗，緣於前第一夫人曾文惠（1926-）女士胞弟曾任盲人重建院院長，李前市長赴美考察後，起心動念希望推廣導盲犬。不想就引進一對，一繁殖卻太成功。

二〇一六年蔡英文勝選，成為台灣史上首位女性總統，第一家庭裡最被關注的「第一寵物」也變天，隨之為貓咪取代。眾所周知，蔡總統明明還領養了三隻退役的導盲犬——乳白色的 Bella、駝色的 Bunny 和黑色的 Maru。即便如此，三隻半生劬勞的工作犬，在媒體曝光度與社群聲量上，始終不敵兩隻寶貝貓。

COVID-19 疫情方酣時，總統府小編在蔡總統的推特（Twitter）上，貼出一幀蔡英文總統與蔡想想的合照。脖子上繫著紅色蝴蝶結的蔡想想，萌樣討喜，頓時變成超級網美，點閱率爆表，吸引留言無數。留言者繁不勝數，出人意表地出現了國際知名的日本當代藝術家奈良美智（NARA Yoshitomo, 1959-）。

奈良美智感謝台灣共體時艱，輸出口罩餽贈日人，在祝福蔡總統工作順利之外，也請代問候蔡想想。有感於台灣朝野人溺己溺的同理心，他主動表示待疫情過後，希望來台舉辦大型展覽以示報答。全文以中文書寫，末了還附記了一句：「Cookie 在會議中似乎不會想睡覺呢！」

可惜這則美談的報導雖多，卻僅止於表面，缺乏借力使力進一步做藝術推廣的企圖心，遑論裨益釐清對奈良美智其人其藝的誤解。多少年來已經放棄奢求，多希望媒體能夠用點心力多深掘，借時事新聞引人關注之便，增進閱聽人的藝文素養，那不知有多好。

個人認為奈良美智的感念，延續了近十年前福島（Fukushima）震災以來對台灣人慷慨解囊相助的感念。當年台灣同胞的捐輸，更甚任何一國人民，日人有志一同地由衷感激迄今。別忘了奈良美智是日本青森（Aomori）人，故鄉弘前（Hirosaki）市素以明治風情與櫻花勝景著名。青森緊臨福島，311地震雖倖免於難，可是毀滅式的諉禍衝擊太大，讓多感的畫家一度無心提筆創作。

雖然失蹤的友人杳然消逝不復還，後來陸續選擇返家重建生活的人，他們的勇敢讓他大獲鼓舞，這才重拾創作，並且積極參與社區重建的藝術計畫。曾經駁斥外媒記者將其作品與龐克搖滾的影響畫上等號，奈良承認畫畫喜歡讓高分貝的搖滾樂包圍，不過民謠音樂對他是一樣重要的啟蒙。「我長大的地方沒有博物館，只有透過唱片封面接觸藝術。」因為有他榮光故里，蘋果之鄉的青森，如今也有了自己的美術館，高達兩樓半高、純白的「青森犬」是鎮館之寶，正是出自奈良的巧手。

如果光看漢文名，恐怕誤會他是女兒身；奈良美智是三兄弟中的老么。畫中永遠看似氣嘟嘟的小女生，是奈良美智的註冊商標，當然也是藝術市場上的夢幻逸品。不過，他堅稱小孩比大人中性，自己的畫中人無分男女。永保低調的他，拒絕被分類，否認自己的作品帶著對現實人事地物的批判，認為自己所有的作品都是自畫像。透過創作與自己對話，以便不忘初衷，找回天真卻悲喜交織的童年感受。

因為雙親工作忙碌，哥哥們自己玩自己的，奈良幼時只有寄情於收養的一隻流浪貓。音樂和動物才是他最大的慰藉，「比起與人言語交談，與動物交流我更擅長」，他自己說過，不管筆下出現的是小女孩還是貓，都是自身的寫照，也都象徵著自尊心。

從愛知（Aichi）縣立藝術大學畢業後，奈良進入德國名校杜塞道夫（Dusseldorf）藝術學院進修。他自白在寂寞中長大，然而也因此得以不斷反思自己力求蛻變超越，不管身在偏僻的故鄉青森，還是初來乍到語言不通的異鄉柏林。

我自己約莫在同時隻身遠赴比利時求學，或許因此對奈良有張留德時期的油畫《貓王》（*King of Cat*, 1992）特別有感。儘管腳踩荊棘，血跡斑斑，畫中以粗黑線條勾勒出的大白貓，依然頂戴皇冠，昂首闊步，生氣勃勃。這張畫雖說看似向滾樂天王貓王 Elvis Presley（1935-1977）致意，但更有可能是奈良向他的偶像畫家巴爾度斯（Balthus, 1908-2001）致敬。

在法國廿世紀現代繪畫大師之中，波蘭裔的巴爾度斯是自學成功的典範。在詩人里爾克（Rainer Maria Rilke, 1875-1926）的鼓勵下，他從臨摹古典繪畫中淬煉出紮實畫功，從文學中汲取養分，畫風自外於現代藝術的狂飆，抒情典雅，自成一格。貓在他滿是抑鬱氛圍的畫裡，往往是畫中人物唯一的陪伴。

現實中生性孤僻的他離群索居，獨獨愛貓成痴，自稱貓王，自畫像也題為《貓王》（*King of the Cats*, 1935），充滿了自傳性的感性投射與理性剖析。巴爾度斯在給友人的信中如此寫道：「如果我能永遠做個孩子，天知道該有多幸福！」不難發現，奈良美智也有一樣的感喟。

千禧年成為奈良生活、生命與事業的分水嶺。二〇〇〇年再返回日本時，已經時隔整整十二年。這一年，他加入質疑過度推銷、過度消費文化的「超扁平」（Superflat）前衛藝術團體的同時，憑著簡筆的巨幅小孩肖像鵲聲躁起，一舉成名天下知。他筆下的小孩看似天真，卻不是天使，因為他明白，處於這樣紛擾不堪的世道，連涉世未深的孩童，都不得不擺出自衛的姿態，激勵自己不畏壞人環伺，努力保護自己。

奈良的主題永遠保持現代感，然而畫作、雕塑的表面，除了刻意不隱藏遺下的痕跡保留手感，如同宋瓷釉彩的冰裂紋，抑或年代久遠畫布上龜裂的凡尼希（vanish）保護層，分外耐看又耐人尋味。傳諸久遠的技藝、記憶與時光，就像他敷上液態金屬的塗布，放著放著，就這樣緩緩凝固、結晶、龜裂、風化，但也是靠這樣單薄的一層，保護、保存、保留住了一切。

奈良美智對台灣不陌生，台灣也對奈良美智一點都不陌生，追隨者眾，更不乏一擲千金的收藏者。他的作品魅力無國界，一直是跨世代收藏家的最愛之一，甚至被當作「基本款」。因之，奈良美智是近年在市場表現上的常勝軍，拍賣會上的成交價不只不停屢創新高，往往每一翻呈數倍飆漲。

去年秋冬拍賣旺季，國際頂級拍賣公司各自精銳盡出，自不在話下。沒人料得到，奈良在相隔不久的不同拍賣場上，甚至是在同一天的拍賣會中，落槌價就幾度刷新了個人紀錄的新高，一舉榮登日本當代藝術家之最，傲視藝界群倫。

當年「超扁平藝術」天團的另一個成員村上隆（MURAKAMI Takashi,1962-），相對上高調張揚，成名之後決定向低文化的「幼稚力」靠攏。自創品牌「怪怪奇奇」(Kaikai Kiki)後大走潮牌路線，不斷異業結合無限擴張，在新冠肺炎重創日本的夏初，村上隆親口證實事業瀕臨破產。

堅持不譁眾取寵走自己的路，保持低調與社交距離，年過六旬的奈良美智，用沉默的智慧，反而永保藝術之路能走得長長久久。

荒木經惟之三人行必有我貓

每年除夕荒木都拍下貓照，Chiro 就這樣陪伴他度過一個又一個的除夕，以及不知多少個按下快門的關鍵時刻，直到二〇一〇年。

荒木經惟（ARAKI Nobuyosh, 1940-）色慾橫流的「私寫真」作品驚世駭俗，公認是眼球收割機，至於認同與否，見仁見智。不過作為戀舊痴情的有情人，荒木倒是獲得一致好評。

二〇一二年出版攝影集《愛のBalcony》時，荒木經惟的最愛妻子青木陽子（AOKI Yoko, 1947-1990）、貓女兒Chiro（チロ，中文音譯為奇洛）已相繼棄世，他長年居住的「豪德寺」（Winsor Heim）住家，最後也成了傷心地，所以荒木在都更搬家時，乾脆將之改名為「豪德堆」（Winsor Slum）徹底告別。

荒木之所以暱稱這座陽台為「愛的陽台」，是因為這兒正是他與髮妻自一九八二年起長年生活的角落，也是一九九〇年妻子病故後，愛貓與他相依為命的場所。在這兒他們一起創造出了形形色色的世界，自稱「愛的創作者」的荒木，於此炮製出的照片不計其數，主角有動物、植物、玩偶、公仔與恐龍玩具，當然還有貓女兒和荒木太太。陽子因罹癌辭世前的最後一張照片，也是愛人、愛貓在陽台上的合影，三者彼此之間心照不宣的是死之將至。

陽台凝聚了共同經歷的回憶點點滴滴。譬如他身穿運動服，左手為著和服的陽子放風箏慶新年，右手按下快門記錄永恆的當下。追憶彼時，荒木笑稱自己好比是江戶刺客「二刀流」荒木右衛門，他猶記得，那時候陽台瀰漫著廚房來的烤年糕芳香。這樣一段結合五感的描述，讓人聯想起普魯斯特（Macel Proust, 1871-1922）的《追憶似水年華》（*Le Temps retrouvé*, 1913-1927），法式點心瑪德蓮（Madeleine）的香氣，就是引動一連串溫馨記憶的觸媒。

眾人皆知，沒有陽子，就沒有荒木經惟。「不要笑，好嗎？妳不笑的表情非常漂亮。」不得不說，荒木「撩妹」的台詞太另類，不過陽子也非等閒之輩，不但不以為忤，反而欣然從之。陽子旋即報之以一生相與，只因為「我知道他是一個戴著壞人面具，內心卻敏感細膩、容易感到寂寞的人。對他做出這樣的判斷之後，我也放下心來跟隨著他。」

一九六八年本為同事的兩人因此進而相戀，四年後結縭，婚後由陽子一肩扛下家計，支持荒木專事攝影創作。東松照明（TOMATSU Shomei, 1930-2012）將陽子比喻成唐三藏，而荒木則是逃不出如來掌心的孫悟空；陽子不只養育了一個男人，更造就了一位攝影家。事實上，陽子就是荒木的天與地，也是荒木的視線所及與視角所及。最明顯的證據，可以在《陽子，我的愛》、《第十年的感傷之旅》、《愛情生活》等攝影隨筆得到具體見證，陽子的視角正是鏡頭的視角。

二〇一一年的最後一天，荒木拍下了陽台生存的最後時光。這陽台之於荒木，其實就像攝影棚，他在這裡拍了整整三十年。這裡是他《曾經的樂園》。他說無論如何，新家非得要蓋一座陽台不可，這樣，他才能在每天六點鐘一起床，拍下東邊的魚肚白。荒木經惟說唯一的遺憾，是自陽子棄世，鏡頭只容得下空景，而持續拍攝天空的他，卻再沒看過美麗的雲朵……儘管如此，睹雲思人依然，他還是出版了《東京天空變幻的雲》。

「我的人生是從與陽子相遇開始的。」陽子歿後，荒木槁木死灰，因為她儘管往生前寫就了絕筆散文集《東京日和》，嚥氣前卻什麼遺言都沒說，留下的只有陽台白桌上沒動過的紅酒杯、荒蕪了的手栽香水百合以及衰敗的銀荊。荒木成了多愁善感的孤兒，陽子想開家名叫「銀荊」的咖啡館的事，也就灰飛煙滅成一片蒼白。最後這些遺物的殘影都入了鏡，並不單純是悼亡，也許像荒木經惟在紀錄片《迷色》中所說，更出於對「物哀之美」的迷戀。

「十一月廿三日，Chiro的生日，陽子出院了，萬歲喵！」隨筆中陽子與愛貓的存在，無所不在也形影不離。陽子入殮的棺木裡滿載鮮花，枕側還放著Chiro的攝影集為伴。Chiro說來也是陽子的遺物，因此《東京日和》的封面是陽子與Chiro的合影。而喪偶後荒木第一張認真拍攝

的照片，正是受Chiro感召。那時大雪紛飛，靜謐得只能聽到下雪的聲音，Chiro望雪、玩雪讓荒木一一入鏡，一如他攝下在初雪中嬉鬧的陽子。

陽子亡故之後，Chiro實質上代替了陽子，與荒木如影隨形。一九八八年三月，Chiro被抱進家門，「牠第一次來到我家時，我是不喜歡貓的，但是牠卻靠近我，一直對我撒嬌。」流浪貓出身，時不時為荒木狩獵討歡心，獻寶炫耀獵物壁虎，甚至因此為他成就了名作。不過從此照片之後，照片裡貓咪改以荒木遠眺的視線出現。Chiro總是背對一切，至多在柿子樹與欄杆間飛來跳去，這一眼望穿的寂寞，極其磨人。「這種背影完全征服了我，其中似乎包含著人生的無奈，向我訴說著許多故事。」

森山大道（MORIYAMA Daido, 1938-）曾比喻自己「像狗一樣每日獨行街頭，排泄似的拍照」；荒木則守著自宅，用Chiro專用照相機「嘉能35－80」拍下了愛貓的一生。「我其實花了更多的時間和Chiro相處，比和陽子相處的時間還長。陽子過世後，我花了超過十年的時間與Chiro共處。」他太愛Chiro了，愛到儘量不去想像沒有牠的日子。荒木和陽子沒有子女，小貓Chiro就是兩人的孩子。識者皆知，潛移默化之下，墨黑太陽眼鏡、貓耳髮型，早就是荒木經惟公開造型的註冊商標。

每年除夕荒木都拍下貓照，Chiro就這樣陪伴他度過一個又一個的除夕，以及不知多少個按下快門的關鍵時刻，直到二〇一〇年。荒木回憶愛妻死前，他心平氣和地向她說了聲謝謝，回憶愛貓離開的情景，卻肝腸寸斷：「Chiro倒下時，還是像平常那樣看著相機鏡頭、看著我，眼角泛著淚光。看見這樣的牠，心都碎了。」頸上繫著荒木的吊墜入殮，像當初陽子一樣鋪滿鮮花，《愛貓奇洛》（愛しのチロ）隨後出版。

荒木經惟這麼描述自己的攝影心路歷程：「當你活過了那三次死亡（指父、母、妻），你就能成為一個攝影師。然後，當你摯愛的女兒也死去了，你就能成為一位詩人。」若然，是貓使他更詩意。荒木經惟的經紀人證實：「老師有很多情人，但是Chiro死後，他每天回家就只有一個人，很孤獨。」一九四〇年出生的荒木經惟，耳順之年時遭逢喪妻之痛，知天命時痛失愛貓，所幸當依戀的陽台慘遭拆除當時，他已進入從心所欲的豁達之年。

荒木經惟坦承：「如果問我喜歡女人還是攝影，我會選擇攝影。捨棄女人，選擇攝影，我果然是個冷酷的人！」這是自我解嘲。「拍照就像是呼吸一樣自然，照片就是生活，而人生就是感傷的旅程。……攝影果然是一場感傷的旅程，作為一個攝影家，我一生都在持續這場感傷的旅程。」一九七一年《感傷之旅》的序文，可視為荒木經惟對於「私＝寫真」的宣言，也成為標註他的標籤。對照之下，年邁又罹癌的荒木繼續他的「感傷之旅」，作品以感性超越感官性，已徹底走出小說家坂口安吾（SAGAGUCHI Ango, 1906-1955）式的「墮樂園」。

昔日結合戰火與煙花記憶的「荒木實驗電影」（Arakinema），這式的情慾美學既去，「黑白的夢境」、「無我的黑白」反將一生落定，畢竟荒木了悟到：「情慾是一種掙扎，生命是一種即逝。」

每年在陽子冥誕都要行文誌記的荒木，始終沒有再婚。二〇一七年《荒木經惟：寫狂老人A》攝影展，荒木經惟特意選了結婚紀念日七月七日開幕，並把作品的拍攝日期竄改成同一天。這一天屬於荒木和陽子的永恆，要紀念更要慶祝，因為他認為畢生最得意的人體作品，無疑是「陽子被記錄下的一切」。他想要框取的其實是時間，「照片是被攝體和時間組成的。……我們拍攝的不是空間，而是時間。」

一如荒木對陽子一顰一笑的迷戀，從而想起甫才謝世的攝影大師柯錫杰（KO Si-chi, 1929-2020）。柯老師對於愛妻舞蹈家樊潔兮（1953-）作為鏡頭中的最佳女主角，執著一生的愛與痴，在作品中昭然若揭，想必亦復同理。

金基德的白貓

白貓不能言語，但解人語，千言萬語只在眉目、反手之間，大有禪宗「不立文字，直指人心，見性成佛，以心印心」的況味。

一八九四年，愛迪生電影公司（Thomas Edison Film Company）推出了名為《拳擊貓》（*Boxing Cats*）的影片，公認為史上首次以貓為主角的片子，有趣的是因為看來十分逗趣，往往也被認定為影史上第一部「喜劇片」（comedy）。微妙的是自此貓與電影結緣，幾乎僅存於驚悚片、懸疑片與科幻片。

韓國導演金基德（Ki-duk KIM, 1960-2020）享譽國際，奇情的電影作品瑰麗，得獎無數，卻同時以毀人三觀著稱。《春去春又來》（봄여름가을겨울그리고봄，2003）這部電影，大概是金基德所有作品中，最唯美的一部了吧。雖說性暴力美學未減，鮮有對白一樣的寡言，關心著邊緣人，但是專注以禪宗形式主義貫穿全片，乖戾腐敗之氣淡出得多。

傍著注山池修築的深山古剎，大門上橫著的匾額寫了「人生庵」大字，有位住持與小沙彌在此修行，《春去春又來》的劇情在此開展。山中無歲月，如同方丈的偈語所說，「木盛則春，火盛則夏，金盛則秋，水盛則冬，四季交替，冬去春來」，不知已經過了多少年。

方丈目睹小沙彌心存不仁，縛石傷害小魚、青蛙和蛇只為了戲耍。他深知這孩子童顏未改，但天真不再，動手虐殺無辜取樂，已經預告萬劫不復，小沙彌注定墮入六道輪迴。化外之境如詩如畫，看似一切平靜無波，直到避靜的少女到此靈修醫治心病，吹皺一池春水，連環的悲劇就此開展。

當與女施主苟且情事東窗事發，年輕氣盛的小和尚負氣出走，臨去湖中寺時，還偷走了供佛隨身護體。自此而後老和尚只剩一隻白貓相伴，從此白貓的存在，取代了原本的神像。白貓於我，正是解析本片寓意最關鍵的象徵。

白貓不能言語，但解人語，也是靜觀周遭一切的全知的先覺者。千言萬語只在眉目、反手之間，大有禪宗「不立文字，直指人心，見性成佛，以心印心」的況味。老和尚抱著白貓看報紙，社會新聞恰巧刊登了長大成人的小和尚，因故殺妻逃亡遭通緝。方丈抱貓，那姿勢一如當初他懷抱佛像，以毛筆輕輕拂塵之時。彼時鏡頭轉到小和尚，一覺醒來悔不當初，哭求師父趕緊解開腳上綁著沉重石塊的繩索。

以苦為樂，認假為真，都是飲鴆止渴。老和尚了然於心，唯有降伏其心魔，小和尚才能回頭是岸。老和尚在寺埕寫起《般若波羅密多心經》（*Prajna Paramita Hrdaya Sutram*）的情節至為關鍵，他不用毛筆默寫經文，而是直接握住貓尾巴蘸墨疾書。佛門修持，有「靈貓捕鼠」的譬喻，闡釋禪坐時能覺察到起心動念。白貓的尾巴就是一念，捉住貓尾等於掌握了覺知，並立即以《心經》收服之。

水可以載舟可以覆舟，刀刃可以銘刻經文可以取人性命，情慾可以創造也可以毀滅。導演以《心經》為引，點撥出生命中五蘊的演繹。只是知難行易，要達到「五蘊皆空」的境界何等艱難，不如坐看四季更迭從中漸悟。

金基德從後段冬季起，便親自飾演成年的小和尚。弒妻刻劃《心經》

後鋃鐺入獄，中年歸來已是百年身，師父早已自焚火化。這片講的故事，斷非是小和尚一人的際遇，反射出的當是眾生故事的縮影，包括金基德自己，都不免要踏實修習人生功課。巧合的是此片的況味，竟有如金基德人生急轉直下的的真實寫照。

現實生活中，金基德的罩門便是「色即是空」。「#MeToo 運動」方興未艾之際，金基德導演的濫權霸凌，被前演員集體向媒體踢爆，與之沆瀣一氣的專屬演員，也被迫息影退出影壇。韓國影壇儘管潛規則罩頂，面對唯一一位囊括柏林、威尼斯、坎城三大國際影展金座的天王導演，輿論保有大是大非，十分不簡單。

相較之下，台灣的類似事件，卻被鄉愿者大事化小、小事化無，受殘

害的當事人無力回天，情何以堪。台灣類似駭人聽聞的性侵誹聞，即使屢犯罪證確鑿，執法者無懸念判決性侵人者鋃鐺入獄服刑，可不過寥寥數年，便船過水無痕，最終波瀾不驚，淪為新聞搜尋底層的默默舊聞。

更弔詭的是跨越人倫底線的敗德，竟然可以被淡化開脫，視作「瑕不掩瑜」。分別心的濫用與同理心的錯用，令人瞠目結舌，畢竟受害者的人權，再度被凌虐而且終生受辱。

有此一說，貓狗與人互動關係大不同，關鍵差別在於同理心。狗因為有同理心，所以輕易為人馴化，而貓則因為缺乏同理心，反而可以將人類收服。

若非把持不住慾望，金基德半生的奮鬥形同傳奇，十分勵志。出身寒微，父親嚴峻苛刻，他憑著無比毅力，少年時工作自食其力，繼而從軍，遠赴巴黎留學修習美術，靠街頭速寫人像自力更生，直到返國後以非科班出身初生之犢之姿，贏得劇本大獎，繼而勢如破竹，破紀錄以韓片在國際競賽影展中屢屢凱旋。金基德的作品故事獵奇，雖在韓國國內叫好不叫座，屬於非主流，卻是韓流中清流，最終就是以小眾路線卻博得國際影展重大獎項。

三觀盡毀的震憾，不是在看過金基德的電影時，而是在知道他分不清電影與現實人生之後。在拿下了威尼斯影展最佳導演銀獅獎的電影《空屋情人》（빈집，2004）片尾，導演送給觀眾兩句話：「很難講清楚我們生活的這個世界，到底是真實還是虛幻的。」

「苦集滅道」是佛陀成佛後首次教導信眾的四聖諦，唯獨能去我執，才得涅槃。標榜一心向佛的導演，決定讓主角從「他人即地獄」的現實叛逃，選擇自我為中心的世界，難道會是金基德對「苦集滅道」的誤證？

被「#MeToo 運動」嚴重波及信譽的金基德，不再見容於韓國影壇，遠走波羅的海（Baltic Sea）避難的他，原本預定永久移民於遙遠的蕞爾小國拉脫維亞（Latvia），卻因感染新冠肺炎，驟逝於我一度工作的國家。金導萬萬沒料到，決心移民他鄉，找到活路拯救藝術生命，不意反倒竟成了斷送生命的葬身之所。難道是命已該絕，想躲也躲不掉？

銀幕硬漢與貓

許是疲憊不堪，許是貓那「八風吹不動，端坐紫金台」的睥睨架勢，耳邊彷彿響起《貓的報恩》貓王的聲音。

奔波一整日，是夜倦極。全身又重又濁，四肢提不起勁，一股腦都化成了水銀，怎麼勉強也兜不成型。

走過暗巷，與一對相熟的貓街友打了照面。

不知是否天氣兀然燥熱，兩隻貓這會兒只發懶，不比昔時見著會來蹭兩下討拍，或者喵兩聲乞食。一隻從陰影裡只探顆頭，對駐足的我略表關心。另一隻伏在台階上曬月光，見我依然紋風不動。

許是疲憊不堪，許是貓那「八風吹不動，端坐紫金台」的睥睨架勢，耳邊彷彿響起《貓的報恩》（猫の恩返し，2002）貓王的聲音。聽見貓王附耳對我說著片尾的台詞：「我也該退休了⋯⋯」想想自己入行得早，到上週屆滿卅年，也許也真該退休了？

為吉卜力工作室（Ghibli Studio，スタジオジブリ，1986）動畫《貓的報恩》貓王一角配音的聲優是大名鼎鼎的丹波哲郎（TAMBA Tetsuro, 1922-2006）。

聽說他從來演戲不大看劇本，死不肯好好背台詞，以致提詞的大小紙片到處貼滿滿，如何讓他看得清又不至於出鏡，害苦了劇組。即便如此，丹波偏愛臨場發揮自創台詞，對戲者屢屢苦不堪言確實是真，卻又再再折服於戲精信手拈來的到位。

晚年的丹波哲郎，在大河劇中的表現精湛。一如在《春日局》（1989）

裡，演活了老驥伏櫪的德川家康（TOKUGAWA Ieyasu, 1543-1616），在《義經》（2005）裡到位詮釋了最後切腹自殺的平安時期末代武士源賴政（Minamoto no Yorimasa, 1104-1180），詮釋《貓的報恩》的貓王，丹波權威裡帶蒼涼的老聲，真情流露，非常具說服力。唯獨有件事無法確定，不知這句經典台詞，當時是否是他按柊葵（HIIRAGI Aoi, 1962-）原著改編劇本照本宣科，抑或是自然而然自況身心，發自肺腑的即興感喟？

根據社會派推理小說家松本清張（MATSUMOTO Seichō, 1909-1992）名著《砂之器》（砂の器，1961）改編的電影《砂之器》（1974），乃政策恢復開放日片進口之後，首批在台灣放映的電影。電影轟動一時，緒形拳（OGATA Ken, 1937-2008）、丹波哲郎等主角，自然在台灣辨識度極高，尤其對當時初識東洋當代電影的我們這群中學生。

歷來亞裔演員躋身歐美主流影視屈指可數，至今處境依然艱難，何況數十年前。丹波哲郎與緒形拳是極少數一度成功的先驅案例。

緒形拳以在今村昌平（IMAMURA Shōhei, 1926-2006）導演的經典名片《楢山節考》（1983）中的精湛表現享譽國際，贏得主演由名導許瑞德（Paul Joseph Schrader, 1946-）執導、柯波拉（Francis Ford Coppola, 1939-）與魯卡斯（George Lucas, 1944-）擔任製片的年度大片《三島由紀夫：人間四幕》（*Mishima: A Life in Four Chapters*, 1985）。不過他講了一句「比起大馬路，鄉間小道更有趣」，道破心繫日本，從此便瀟灑揮別好萊塢，重返國內影壇。

丹波哲郎則是以商業大片晉升國際。甫過世的史恩・康納萊（Sir Thomas Sean Connery, 1930-2020）主演的七部 007 系列，公認是影史諜報片經典。其中的《雷霆谷》（*You Only Live Twice*, 1967），是唯一晉用最多亞裔也全程於亞洲拍攝的一部。

出演女特務的周采芹（Tsai-chin CHOW, 1933-），挾著京劇大師「麒麟童」周信芳（1895-1975）之女、英國皇家戲劇藝術學院（Royal Academy of Dramatic Art）首位華裔畢業生、第一位華裔「龐德女郎」之姿，一口漂亮的英式英語，演技可圈可點。但周采芹美則美矣，一時引發的話題性也高，經過半個多世紀，予龐德迷們的印象，竟然遠不如飾演日本祕密情報署頭子田中虎（Tiger Tanaka）的丹波哲郎深刻。

這肯定是因為龐德與田中的這段關鍵對白，實在太經典，英式幽默的慧黠深入人心所致：

Tiger Tanaka：

"Place yourself entirely in their hands, my dear Bond-san."

「您就放心把自己全然託付給他們吧，親愛的龐德先生。」

"Rule number one is never do anything yourself-when someone else can do it for you."

「守則第一條：凡能假手他人之事，千萬別自己來。」

James Bond：

"And number two?"
「敢問第二條？」

Tiger Tanaka :
"Rule number two: in Japan, men come first, women come second."
「守則第二條：在日本，男人永遠排第一，女人居次。」

James Bond:
"I might just retire there."
「那我可能會考慮在那兒養老。」

誠然，處於族裔及性別平權已被彰顯的今天，這樣的台詞完全政治不正確，恐怕再也不容出現。當初的謔而不虐，如今再不合時宜，卻也成了不可逆又不可再的一段歷史。

史恩·康納萊始終堅持自己的價值觀，到垂垂老矣依舊不覺得個人帶有性別歧視的發言，有何需要檢討道歉之處。對此顢頇固執己見，擁護他的粉絲，理應多少感到遺憾。

不過，也該「平衡報導」一下史恩·康納萊現實生活中不為人知的另一面。他除了畢生捍衛祖國蘇格蘭獨立於大英帝國的自主權，完美詮釋了英雄人物的銀幕硬漢，其實寵愛貓一樣相當知名。007 系列發布的片場花絮劇照，譬如首部《第七號情報員》（*Dr. No*）（1962）、《雷霆谷》，側拍抓拍下康納萊溫柔地玩貓，動人的照片深植人心。

鐵漢柔情，長年致力環保與動物保護議題的他，著墨最深的在於保護環球海洋生態，出錢出力從不落人後，自然不在話下。為了貫徹決心以身作則，史恩・康納萊開始茹素，到他謝世為止，已然足足十年。隨著他辭世，他與動物親密互動的影像，已成絕響。

潘玉良的貓事

藝術史家與藏家們，泰半視潘玉良女性主題的畫作為精品。個人獨排眾議，私以為潘玉良畫貓最有味道。

藝術家曲折的生平，往往比他們的作品，更為深植人心，也更加膾炙人口。民初「新女性」藝術家潘玉良（1895-1977），便是其中之一。

這位因為父母雙亡寄身青樓的女子，有幸遇善心恩客潘贊化（1885-1959）贖身改變了一生。一九五七年，她攜著夫婿潘贊化原為蔡鍔（1882-1916）將軍餽贈的懷錶為護身符，毅然出國習藝。為了追求藝術之路不屈不撓，十年間一路從中國上海美專、法國里昂中法大學、巴黎高等美院進修畫藝，最後在義大利羅馬國立藝術學院以雕塑專業取得學位，是為中國女性第一人。

一九二八年，她受聘上海美專，擔任西洋油畫部主任。上海美專曾經因嫌棄其出身將之退學，那一刻，不只她個人揚眉吐氣。連同她同年在滬舉辦大型個展，隨後於一九三四年出版她自己的第一本作品集，三者都標舉出女性華人美術史上特殊的關鍵節點。

以約定俗成的看法，潘玉良很難歸類為「閨秀畫家」，倒不是為其曾在花街柳巷討生活的暗黑過去，而是因為她常以自己為模特兒，更常將最熟悉的裸女百態入畫，與俗世願見女流之輩畫風的清雅恬靜大相逕庭。

藝術史家與藏家們，泰半視潘玉良女性主題的畫作為精品。個人獨排眾議，私以為潘玉良畫貓最有味道。油畫《鬱金香雙貓》裡的兩隻白貓自在舒展，與白花的宛然姿態相映成趣。彩墨作品《捕捉之前》裡的牛奶貓無視盤中飧，躲在插滿康乃馨繪著烏雞圖案花瓶邊守株待兔，一旁小麻雀渾然不察虎視眈眈，張力與畫趣俱存。《貓與盆花》的賓士貓，悠然棲於虎尾蘭、彩葉草間，與畫家四目交望；同一隻貓也靜靜伴著以全裸背影入境的裸婦。現知潘玉良唯一創作過的石版畫《貓與裸女的午寐》，白描淡彩的斜躺裸婦，枕邊甜甜睡著的是白貓，強調的是女體膚白敷敷，更勝貓色。不知是否受「巴黎畫派」大將藤田嗣治（Léonard Tsuguharu FOUJITA, 1886-1968）著名的白貓啟發？

潘玉良的畫中，少數幾幅也有狗跡現蹤，不過都是貴婦豢養的白色梗犬、貴賓狗，一律梳整有形，彷彿與女主人一樣剛剛走出美容院。狗是點景的插曲，不同於貓咪作為主角。她畫虎斑貓伏蜷在緋紅墊上睡得香甜，畫湛藍門邊暹羅貓與白色短毛貓對峙的剎那，其中捕捉的居家色彩與生活即景，生動傳神地描繪狸奴的日常素行。

雖然諸多記載她的文字照片，不曾特別提及貓的存在，但依照爬梳畫作，或許可以大膽假設，她的生活中必定少不了貓兒相伴。也許潘玉良自況性情、際遇皆如貓，只是這線索藏得隱晦，以致識其畫者，始終小覷而粗心錯過。

潘玉良在外貌上，雖然談不上娟秀美麗，氣質上也以氣勢取勝，可民初聞人劉海粟（1896-1994）、徐悲鴻（1895-1953）、張道藩（1897-1968）、羅家倫（1897-1969）、郭有守（1901-1978）等名家，都與潘玉良有著相知相惜的知遇之情。不過隨著她在中日戰爭爆發後重返巴黎度過餘生，期間相交遊的藝術大家，當數張大千（1899-1983）最為人津津樂道。

大千先生雖與潘玉良年齡相仿，也曾因分別在南京大學、中央大學任教時結識，但因時局板蕩兩人始終緣淺。他在一九五六年由僑居的巴西首度赴巴黎辦展，再續中斷廿年的情誼，從此與潘玉良彼此以姐弟相稱，互訪與魚雁往返不輟。潘玉良有幅彩墨《豢貓圖》立軸，就是彼此詩畫唱和的最佳見證。

據載潘玉良備了一席道地川菜設家宴為張大千餞行，作東邀請「勤工儉學」後便定居巴黎的畫家常玉（1895-1966）、巴黎旅法華人俱樂部副主席王守義（?-1981）兩人作陪。張大千見臥室中掛著當年臨別贈畫《墨荷圖》，譬喻她能出淤泥而不染，百感交集。再見潘玉良甫畫成的掛軸《豢貓圖》，描繪與真貓尺寸相仿的大小白貓，相撲嬉戲於簡筆山石之側，大千激賞有加，遂揮毫題辭，釋文如下：「宋人最重寫生，體會物情物理，傳神寫照，栩栩如生。元明以來，但從紙上討生活，是以每況愈下，有清三百年更無進者。今觀玉良大家寫真所豢貓，溫婉如生，用筆用墨的為國畫正派，尤可佩也。」一百來字或有溢美，但字裡行間真情流露，大千居士肯定潘大姊畫貓的功力所見略同。

那年孟夏，兩人在潘玉良至倫敦個展時也同行，張大千感慨年事已高，還繪製了《百感圖》誌念相贈。是年仲秋，大千邀潘玉良來台辦理雙個展，期間二人以四尺整宣合繪成橫幅巨作《梅竹圖》，一時傳為佳話。一九七八年張大千移居台灣定居，這張紀念意義非凡的作品，據聞輾轉成為一九八三年開館的台北市立美術館的典藏，可惜近四十年未見天日，不知今何在。

一樣是首都美術館，巴黎現代美術館也有件永久典藏，已經有好長一段時間不見展出。那是潘玉良的張大千頭像。一九五九年潘玉良以中國留法藝術學會會長身分，邀請張大千赴巴黎參加該館中國特展開幕式，也趁機為張大千留下了青銅頭像。

潘玉良辭世之後歸葬於巴黎公墓，法國政府規定其作品未經批准不得出境，其中自然也包括大千像。倒是前揭的《墨荷圖》、《豢貓圖》、《百感圖》以及兩人的魚雁往返，都因收藏在大陸安徽的潘玉良紀念館固定展出，時時供人憑弔，見證這「藝」結金蘭的兩人，如何相濡以「墨」。

貓眼計時器

貓咪的眼眸裡蘊藏著天地日月星辰四時的千變萬化，時時大有可觀。就在彼此心照不宣的深深凝望中放光，也是深緣的千年一遇。

一轉角，遇見夏至這晚當值的夜巡貓，瞅我的眼神十分微妙。雙眼圓瞪，許久不眨一下，與之對望，一如望見前幾日錯過那可遇而不可求的日蝕，緩緩從初虧、環食、食甚到復圓。

貓咪的眼裡有金有銀閃爍，貓的眼裡含納著日月星辰。不必巴望太陽就位天候到位，迷人的環食、偏食、全蝕盡收貓兒眼底，只消定睛與之四目交望，便不致扼腕於失之交臂。

貓咪的眼眸裡蘊藏著天地四時的千變萬化，時時大有可觀。就在彼此心照不宣的深深凝望中放光，也是深緣的千年一遇。夜巡貓隨遇而安席地而眠，而夜歸人繼續披星戴月的寂寥歸途。

夜消既畢，力行讀書寫字時間。也巧，讀到明代方以智（藥地和尚，1611-1671）百科全書般的《物理小識》（1643），在〈鳥獸類〉篇裡有云：「貓自番來者，有金眼、銀眼，有一金一銀。」

晚明崇禎年間，所謂外來種的貓，約莫是指長毛的波斯貓與短毛的暹羅貓，據傳大抵是唐貓子嗣。據聞唐三藏天竺取經之後，歸途漫漫迢迢，為護珍貴經典免於鼠嗜，遂養貓同歸除鼠患，嗣後一併攜入中原。一時想起前幾年大獲專業媒體讚譽的 PS4 遊戲《仁王》（*Nioh*, 2017）。

這款動作角色扮演遊戲，設定以日本戰國時代（1467-1615）為歷史背景，其中有個小橋段啟人疑竇。時為爭夷大將軍的德川家康，有武士一族服部拜於麾下。其中服部二代的半藏（HATTORI Hanzo, 1542-

1596）最受仰仗，因為吸收了許多伊賀忍者屢建奇功，人稱「鬼半藏」。現代日本出品的時代劇、卡漫、電玩等，頻繁設定他為要角發想，服部半藏的忍者形象因此深植人心。

《仁王》中「鬼半藏」首次在主角英國航海家威廉．亞當斯（William Adams, 1564-1620）面前現身，乃奉德川之命傳達召見之意。當時為了查看時間，武士半藏竟然從懷裡掏出一隻活生生的暹羅貓，對望之後報時，令人發噱也不由得心生好奇。

這只「貓時計」、「貓懷錶」，形同天外飛來一筆，一見難忘。這可是線上遊戲團隊天馬行空創作的突發奇想？這情節的靈感來源，會不會是來自路易斯．卡羅（Lewis Caroll, 1832-1898）名著《愛麗絲夢遊仙境》（*Alice's Adventures in Wonderland*, 1865）裡的懷錶兔？

明末國子監生張自烈（1597-1673）所撰的字典《正字通》，因循《爾雅．釋獸》說法，解釋「貍為野貓，貓為家貓」。他寫到貓的瞳孔變化時，完全和時辰疊合在了一塊：「貓睛，子午卯酉如一線，寅申巳亥如滿月，辰戌丑未如棗核」，頗見嘆服造化之妙。對照後朝取而代之的《康熙字典》，〈臺灣方誌〉篇裡有這麼一段也很妙：「貓其睛隨十二時而變，諺云：『子午卯酉一條線，辰戌丑未長如棗，寅申巳亥圓如鏡。』」張氏編纂綜理古籍所載，至此時已轉為俗諺，足以推斷明、清用貓眼變化稽驗時刻，已是有所憑據。

《仁王》主角的原型是英國人威廉．亞當斯，歷史上實有其人。他是史上第一個入籍日本的英國人，造就了改變近代史的一頁頁傳奇。威廉・亞當斯加入荷屬東印度公司（VOC）由五艘船組成的遠東艦隊，一五九八年從鹿特丹（Rotterdam）出發，經過重重險阻，一六〇〇年抵達日本九州臼杵（Usuki，今大分Oita）時，他是船上倖存的二十四名船員之一。

受當時「五大老」的德川家康接見後深獲賞識，成為入幕之賓。除擔任往來外邦人士時的通譯，也任西席教授幕僚諸種先進西學，並順利迎娶德川御用大賈愛女阿雪為妻，育有一雙兒女。威廉・亞當斯搏得信賴，進而協助長年因耶穌會教士牽連遭汙名化的基督教新教，獲得認可。

隨著德川家康權力坐實，成為江戶幕府的初代將軍，威廉・亞當斯的地位也水漲船高，晉升外交及貿易的官方顧問。經由他牽線，荷蘭、英國在長崎平戶（Hirato）設立商館，成功使日本與新西班牙建交，並在伊東（Ito）創立的西式造船廠中打造了巨型遠洋帆船，開啟日本鎖國前船堅炮利的新頁。

因為功在幕府，威廉・亞當斯遂被德川家康封為武士，賜刀核領年俸祿，所賜領地在相模國三浦郡逸見村，地處今神奈川橫須賀（Yokosuka）一帶。昔日地處偏遠的小村，後來卻發展為兵家必爭之地的日本第一軍港。他同時獲賜和名三浦按針（MIURA Anjin），按針取其「引航」之意。因為在東瀛受到遠比在家鄉更隆重的禮遇，三浦按針婉謝退休可以重返英倫的特許，卸甲歸田，餘生都在日本度過。

第一位「白人武士」三浦按針，史書載明他病故於一六二〇年五月十六日，但史料中並未詳載其死因。他的墓座落在平戶崎方公園，天天望海，而在封邑的衣冠塚，則遵其遺囑設在逸見山巔，遙望江戶城。

威廉．亞當斯的兒孫相傳世居平戶，但在德川家光（TOKUGAWA Iemitsu, 1604-1651）悍然在一六三五年實施起鎖國政策之後，其後人何在、何所終，已不可考。

武則天與貓

遂又想起武曌，這「日月當空」的造字，不知具象化的靈感，是否得自婆娑武后腳邊的波斯貓？

多數的歷史記載，都稱武則天（624-705）稱王周朝時，宮中不蓄貓。宮裡上上下下不見貓影，據說是因為後宮爭寵的惡毒詛咒。《舊唐書．后妃傳上》裡，為此書提出軼事為佐證。

書裡稱因唐高宗李治（623-283）不顧倫理，獨寵武氏有加，終致他以「謀行鴆毒」之名，廢黜曾暗助武媚娘回朝的王皇后（622?-655）以及六宮之最的蕭淑妃（?-655）為庶人，改立武氏為后。其後高宗心生懊悔，不忍「佳兒佳婦」狼狽，卻引發武氏決心趕盡殺絕，廷杖滿百後，斷其筋骨蓄於酒甕中，誓「令二嫗骨醉」。武后在殺害情敵之後，雖未續誅其九族，但卻詔命王氏改姓「蟒」，蕭氏改姓「梟」，發配流放到嶺南一帶。

據說蕭淑妃臨死前，含恨發下毒誓：「武氏狐媚，翻覆至此。我後為貓，使武氏為鼠，吾當扼其喉以報。」相傳武后聞之自然惱怒不悅，從此六宮不許畜貓。南宋淳祐年間由羅大經所著的《鶴林玉露》，按此典故推論相傳「貓為天子妃者」，大抵是本於此掌故。

稗官野史雖說語多可考，不過果真禁貓之舉是因為如此？連北宋歐陽修（1007-1072）監修編纂的史書《新唐書》（1043-1060），多所參照唐代張鷟（658-730）所著的小說《朝野僉載》，那麼據之探討武則天與貓的關係以及對貓的態度丕變，反而可能提供了足以導致截然不同看法的線索。

《朝野僉載》裡錄了這麼一段軼事：「則天時，調貓兒與鸚鵡同器食，

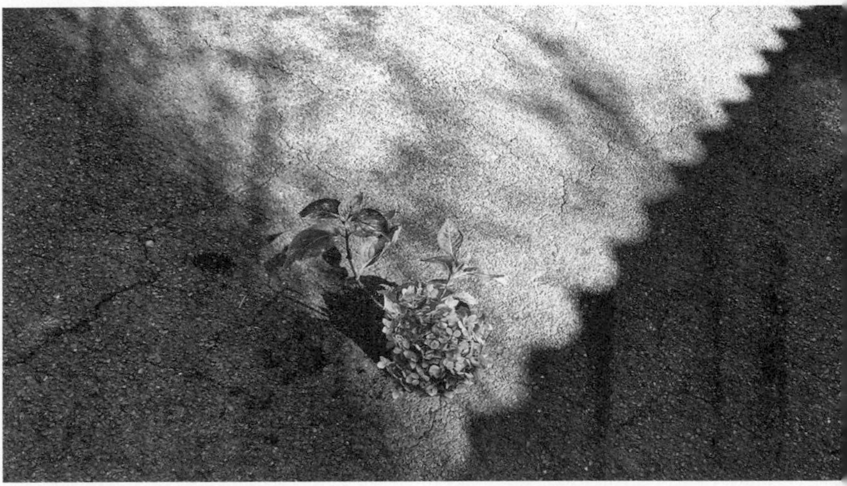

取示百官傳看未遍，貓兒飢，遂咬殺鸚鵡以餐之，則天甚愧。」依此軼事合理猜測，事主貓與鸚鵡都是異域貢品。為了慷慨分享幕僚開眼界，武后讓寵物同籠，可見真心喜愛。只是武后太天真，賞心樂事還不及與眾樂樂，不料竟以血腥悲劇收場。

武則天心生愧疚，卻不以天性嗜殺開罪於貓，反而歸咎於自己讓貓咪餓過頭。由是觀之，一則可證時至大周，皇廷內貓跡未絕；再則可知盛唐富裕，貓兒無需再任捕鼠官自謀生計；另一則或可推測因為後宮飼養寵物鳥的習慣已經普及，為免牠們傷及無辜再生憾事，貓奴們勢必得要被「限制住居」。

私淑人稱藥地和尚的明末名士方以智，他在博物誌《物理小識》裡，闡明進口貓與本土貓有此不同：「貓自番來者，有金眼、銀眼，有一金一銀。」遂又想起武曌，這「日月當空」的造字，不知具象化的靈感，是否得自婆娑武后腳邊的波斯貓？

武媚娘真箇是一介奇女子，一路天天向上直到九五至尊，因為實掌君權而成為正史唯一承認的女性皇帝。即使放眼現世，她的奮鬥史作為「苦女養成記」，依然十分勵志。便只說，這「第一貓女」的尊稱，縱貫古今，當武則天莫屬。這華人女性擔任一國之君的一頁傳奇，不想後繼無人，一等就是一千三百多年過去，才終於迎來了一位民選產生的女總統。

《朝野僉載》這部故事集錦，由唐代進士張鷟撰寫，記述大唐初始至開元年間事蹟，武則天之事尤多。儘管今本只倖存了三成，在當時影響甚鉅可想而知。不然，五代後漢李昉（925-996）的《太平廣記》（978）、歐陽修的《新唐書》、司馬光（1019-1086）的《資治通鑑》（1071-1086）等巨著，不至於屢屢引據借鑒。於是放膽研判，這跟張鷟的祖父任唐高祖四子齊王李元吉（603-626）的文學侍從，並一同死於玄武門之變（626）有關。

日本在大化革新時期（大化の改新，645-646），遣唐使返國述職必備的「伴手禮」，據傳是傳奇小說《遊仙窟》。此事亦見諸《新唐書》：「每遣使入朝，必出重金購其文。」而這本傳奇的作者，便是青錢學士張鷟。妙的是因為張氏擅駢文風格瑰麗，故事豔色濃情，被指「瑣尾摘裂，且多媟語」，不被當時朝廷認同，導致曾經在中土失傳千年，以致其著作，直至清末才再度由日本回傳。

附帶一提，白先勇（1937-）小說《孽子》（1983），公認為同志文學的先鋒經典，其中的「遊妖窟」一節，其實也是取材自《遊仙窟》這個奇特的愛情故事呢。

鄧小平與貓

《聊齋誌異》有云：「黃狸、黑狸，得鼠者雄。」狸在當時是指貓兒。窮酸的蒲秀才，四百多年前豈知，原來他的知音不在放野山林，而是在中南海。

「韜光養晦，絕不當頭，有所作為」，這十二字箴言，原係鄧小平對革命情感絕深的「八大元老」王震（1908-1993）下決策的提點。一代聞人晚年有此發言，或可視之為其定調一生行止的自證。

仕途幾度大起大落，一生未曾出任中國國家元首、中共中央主席的鄧小平（1904-1997），卻被視為實質的最高領導人寫入章程確認，兩度被美國《時代》雜誌選為「年度風雲人物」（1978、1985），理應與他作為當代中國「改革開放的總設計師」的歷史地位，息息相關。

一九九二年九二南巡時說：「不管黑貓、白貓，抓老鼠的就是好貓。」鄧小平主張，無論是計畫經濟或者市場經濟，無非都是資源分配的手段，與政治制度無關。因為資本主義可以有計劃，社會主義可以有市場，只要能發展生產力，都可以在實踐中使用。

「貓論之說」追究起來，事實上早在一九六二年便已出現。只是一九七〇年代那時，批鬥甫才二度復出的鄧小平，「四人幫」的江青（1914-1991），最是不遺餘力。當年她洋洋灑灑羅列了「十大罪狀」，其中針對鄧小平在一九六二年倡導的「三自一包」之說著力最深。以「包產到戶」開放自由市場的政策，一度被完全否定，鄧小平也遭解除一切職務，再度下台一鞠躬。

「貓論之說」旨在解放思想，追求實事求是，強調因勢利導，俾利建立「實踐是檢驗真理」的唯一標準的共識。縱使包括鄧小平本人都明白，開放有利有弊，因此打預防針似地說：「窗子打開了，難免會有蒼蠅和蚊子飛進來。」這卻也言明自己願意承擔風險，起用敢闖敢拚的幹部，推動流動彈性的政策。

一切看情況，打贏了算數，於是乎在強勢宣示「只有改革開放才能救中國」、「發展才是硬道理」、「經濟發展要保持一定速率」、「誰不改革，誰就下台」、「多幹實事，少說空話」推波助瀾之下，「貓論」從此在民間廣為流傳，變成了傳頌鄧小平「南方講話」的精髓，被奉為改革開放的圭臬。

怪奇文學宗師蒲松齡（1640-1715），在志怪小說《聊齋誌異》卷四裡，錄有一則故事〈驅怪〉。通篇短短不過七百來字，卷末作評假託異史氏之口曰：「黃狸、黑狸，得鼠者雄。」狸在當時是指貓兒，因此譯為白話，便是「不論黃貓、黑貓，誰逮得住老鼠誰就稱霸」。

鄧小平夫人卓琳（1939-2009）曾在他們共用的書房裡，指著架上藏書為人證實，鄧小平平素最愛讀「寫鬼的書」消遣，當中最愛的莫過於《聊齋誌異》。喜愛以《聊齋誌異》紓壓的程度，由他習慣差隨從把厚厚一箚扉頁拆成一卷一卷，方便遠行隨身攜帶可見一斑。按枕邊人的證詞可徵，自製活頁的《聊齋誌異》，閒暇時看幾頁自娛，既然是異地出差老鄧必備的讀物，自然也會包括南巡的那次。

由此可以推論，「黃狸、黑狸，得鼠者雄」這個典故，應當就是鄧大大南巡講話的掌故來源。或者也可以這麼說，「平反」經驗比其他政治領袖多了好幾次的老鄧，仍舊顧忌「破四舊」的遺毒，怕引經據典又落人裝神弄鬼之口實，遂轉譯成現代通俗說法，刻意模糊了原本出處。

「寫鬼寫妖高人一等，刺貪刺虐入骨三分」，幾番在歷史節點擺盪的郭沫若（1892-1978），為蒲松齡故居「聊齋」題的對聯，對蒲氏的評價倒是甚為公允。蒲松齡的《聊齋誌異》前無古人之絕，後人難出其右，影響時人俱深。這對在聊齋之中出世、最後也在聊齋「依窗危坐而卒」的蒲松齡，絕對始料未及。

落魄書生在窮途潦倒時，委身柳泉賣茶餬口，採擷茶客轉述歷代奇聞怪誌，發揮奇思異想，琢磨廿餘年成書。不過《聊齋》裡他一再調侃自己為「異史氏」，聲明遠非太史公修正史以明志。書好不容易才脫稿，他就無比忐忑，長吁短歎說：「知我者，其在青林黑塞兼乎？」

窮酸的蒲秀才，四百多年前豈知，原來他的知音不在放野山林，而是在中南海。至於鄧小平為何獨獨偏愛《聊齋誌異》，有無可能是自況身世？曾被打為「牛鬼蛇神」的他，得知偶像蒲松齡墳塚在文革時被盜墓鞭屍，不知是否由衷生出了惺惺相惜之心？

上世紀八〇年代中期，時任中共領導核心人物的鄧小平到了上海，輾轉得知耄耋高齡的畫家陳蓮濤（1901-1994）依然健在，於是特地修書託人捎去問候。有感於小平同志念舊的情真意切，夙有「江南貓王」之稱的畫家，便精心構思繪成一幅《雙貓圖》回贈。

畫中杜鵑姹紫嫣紅開遍，花下畫了一黑一白的貓兒比肩而行。陳蓮濤以「八四老人」落款，提辭的釋文便是：「不管白貓黑貓，能捉老鼠的就是好貓。」彼時離南巡尚早，離「六四事件」自是也還更久，老畫家猶記小平同志六二年貓論改革的觀點，暗藏畫中暗通款曲，對鄧小平期許之深，不言可喻。

這幅畫據悉鄧小平不只欣然接受，生前還一直近身掛在牆上，進過他辦公室者皆知。親近鄧小平者亦知，一如他最愛的《聊齋》，一生也常相左右。

所謂貓膩

貓膩的同音異寫不只一種，「貓匿」、「貓溺」也都十分常見，而且考據起來，反而可能更趨近原本的指涉。

網路文學興盛之後，大陸作家往往不必是學霸，也毋須名家背書，只要一夕躋身網紅，互聯網上的點閱率依然動輒成千上萬，蔚為本世紀當代文壇的奇觀。

有個關注自媒體的朋友跟我說，異軍突起的這些人，其中有個筆名叫「貓膩」的四川小說家特牛，跟隨他發文的粉絲數量驚人，「足足有兩個億」。每六、七個中國人之中，竟然就有一個人隨之起舞，這超高的點閱比例，著實超乎想像。不過個人反倒有不同的關注，對網紅選擇俗語「貓膩」代表自己，感到匪夷所思。為求甚解，於是就教在地的文化達人。

祖上都世居北京的朋友，澄清說所謂貓膩，絕非寵貓之意，不能光從字面上瞎猜。這詞本來自老北京土話，雖然隨著沿用日久，早已成了天津、上海也一樣愛用的慣用語，只是各自分別衍生了些許不同的用法。

說話魅力十足的朋友，幫我舉了許多生動例子說明。原來舉凡臆測其中必有詐，無論是不可告人之事、見不得人的黑箱作業、偷雞摸狗的不法勾當、耍詐矇騙的伎倆、中飽私囊的油水賄賂、狼狽為奸的暗盤交易、內幕馬腳、曖昧糾纏、棘手麻煩等等，口語上都可以以「貓膩」稱之。

貓膩的同音異寫不只一種，「貓匿」、「貓溺」也都十分常見，而且考據起來，反而可能更趨近原本的指涉。

眾所周知，貓的排遺又腥又臭。在家養貓之人皆知，屋裡要備著貓砂，以便愛貓在便溺之後就地掩埋。認命地為貓兒善後的貓飼主，喜歡自封「鏟屎官」，他們也都清楚，貓兒選擇棲息玩耍飲食之處，必定和貓溺所在離得越遠越好。有愛貓者盛讚此係貓愛乾淨的天性使然，殊不知與其一廂情願，謬讚其潔癖，不如說牠們是防禦心特強的神隱者，總是設法讓自己的種種痕跡銷聲匿跡。

「貓溺」一詞，據說最有可能是俚語貓膩典故的由來。若然，以貓膩所作的比喻，建立於常民百姓日常生活中對動物行為的觀察，彼此因而能對含義引申的弦外之意心照不宣。如此一來，挪用來描述不可描述之事，未免也太具象而生動了。

不由得想起通用英文中，有種說法叫做「something smelling fishy」，形容事有蹊蹺，假使要翻成口語化的中文，譯為貓膩，應當非常傳神。

只不過回頭不禁又想，貓兒何罪？魚兒何辜？見貓收拾屎尿的慣性，就視為有心隱匿；聞魚發乎自然的鮮羶體味，便覺有鬼。都怪好事者總帶著有色眼睛看待一切，凡事自由心證想當然耳。

相傳為戰國鄭人列禦寇（前450年—前375年）所著的道家經典《列子》隱喻連篇，吾人耳熟能詳的典故，如「杞人憂天」、「男尊女卑」、「愚公移山」、「夸父逐日」、「朝三暮四」、「野人獻曝」、「歧路亡羊」等，莫不出於此奇書。最終章〈說符〉裡收錄了「亡鈇意鄰」的故事，如此寫道：「人有亡鈇者，意其鄰之子。視其行步，竊鈇也；顏色，竊鈇也；言語，竊鈇也；動作態度，無為而不竊鈇也。相其谷而得其鈇，他日復見其鄰之子，動作態度無似竊鈇者。」

研究先秦文學的學者專家普遍認為，〈說符〉的核心理念，在於闡釋道家所謂「理無常是，事無常非」的事理。我倒覺得除此之外，這則寓言之所以如此經典，端的在於言簡意賅地道破了一個至今不變的不爭事實——

這世上最會疑神疑鬼、搞鬼搞怪的生物，根本就是唯一用兩隻腳走路的人。

貓眼的靈視

牠一回眸，眼底閃爍著的淨是琥珀的斑斕，貓兒就這樣怡然地把旭日東昇的神采，盡收眼底，一如太魯閣族祖靈之眼。

為了 Pulima 當代藝術展的事，來到花蓮縣秀林鄉的銅門（Donmong）部落，落腳民宿「慕谷慕魚」（Mukumug）。太魯閣族（Truku）驍勇善戰，本是游牧民族，迫於各種異族的衝突與衝擊，這才一路由南投山區翻山越嶺，且戰且走，逐漸遷徙至花蓮落戶棲居。這大遷徙長達數百年，直到抵達這片山明水秀的宜居之地，慕谷慕魚是太魯閣族族語，直譯就是「這個地方」。

奇萊山的朝陽朝氣十足，清晨五點便亮晃晃地穿過窗幃，直搗客房，喚醒寤寐中好夢正酣的城裡人。明白老天爺不許人賴床晝寢，認命地放棄晏起，一骨碌翻下眠床。

滑開透光的簾幕，但見一隻貓咪安之若素，端坐在彷彿染上了大理石色彩紋理的水泥地上。難得一見的摩卡色的虎斑貓，窸窸窣窣地來到窗前的露台，此際坐定尋找第一道陽光取暖。

貪看晨光，自以為默不作聲，卻仍瞞不過虎斑貓。牠一回眸，眼底閃爍著的淨是琥珀的斑斕，貓兒就這樣怡然地把旭日東昇的神采，盡收眼底，一如太魯閣族祖靈之眼。舉止持重的這隻貓，以無法一眼望穿的老成眼色，篤定又深情地庇護著歷代祖靈棲居所在的斯土斯民。

這貓，讓我想起東冬・侯溫（Dondon Houmwm, 1985-）。東冬・侯溫就是銅門部落人，這貓也是部落的一份子，他倆必然相識，兩者都是老靈魂。

東冬．侯溫名字裡的 Dondon，意謂「可愛的孩童」，是部落近幾年才出現的名字；而他繼承自父親的名字 Houmwm，則相對古老，意思是「銳利的刀鋒」。新舊的融合，跨世代的匯流，他的人恰如其名。這個當代太魯閣人，注定承擔起承先啟後特殊的使命。

東冬自證，他本身的生命特質，就是會通盤吸納繼承的古老傳統不斷創新。恰如一把刀，磨利了用，用鈍了又磨，這把刀既悉心守護著童貞的心靈，又披荊斬棘開創著璀璨的未來。

就像熟識的許多台灣原住民藝術家一般，東冬．侯溫多才多藝得令人咋舌。他能歌善舞，口簧琴、木琴都難不倒他，口才便給，說學逗唱樣樣精通。因為繼承了「巫」的體質與身分，敏感又善感的他，繼承並操持傳統儀式駕輕就熟。他的才思捷敏，巧妙融合傳統元素於表演、行為、錄像、裝置等藝術形式，化別出心裁的創新，為深富個人特色的展演。曾任「原舞者」舞者、「優人神鼓」團員，在法國亞維儂（Avignon）藝術節表演，並獲第一屆Pulima藝術獎評審團特別獎之後，他毅然拋棄舒適圈與榮耀返鄉，成立「兒路創作藝術工寮」（Elug，意謂道路），開始努力扮演起部落中「播種者」（Mtukuy）的堅毅角色。

二〇一八年東冬以《3M》這件影像作品，入圍了「台北獎」決選。他以行為藝術的形式，用母語訴說了三段影像記事：《MLUQIH傷、MHADA熟、MSPING妝》。他說這三段代表了自己生命中確實發生的事件，件件刻骨銘心。把自己的心路公諸於世，一方面希望非族人的觀者，在裡頭看見部落的文化儀典，另一方面更期待部落內的自己人看了潛心反思，在傳統與現代的矛盾衝突不斷之下，許多儀式是否已經逐漸流於形式。

個人偏愛冬東早些年的一件影像作品《Hagay》（2012），雖然青澀但素直。當時參加了館裡《女人．家》特展，目前已是高雄市立美術館的永久典藏。Hagay 在太魯閣族語中，意指生來便帶著陰柔氣質的男性，雖然有些固執的族人，到現在根本還不願承認有這種族人存在。

Hagay 並不只是專有名詞，嚴格說來，也是個動名詞。即使生就男兒身，只要陰性特質日漸強大，有朝一日終究會由裡而外徹底破繭蛻變，徹底煥化也幻化為女性。憑著貫徹意志，便足以激發質變，這樣的執念，未免太迷人又太震撼。

幾年前中秋過後，在台北華山 1914 文創特區辦理的女性影展中，看了一部由印尼女導演 Kiki FEBRIYANTI 執導的紀錄短片《帢拉萊：性別萬花筒》（*CALALAI in-betweenness*），也是迷人又震撼的經驗，至今記憶猶新。

印尼蘇南蘇拉威西島（South Sulawesi）是原住民布吉斯族（Bugis）的原鄉。傳統上，布吉斯族認為人有五種性別並存：生理與心理性別認同相符的男性（makkunrai）、女性（oroané）之外，還有生理男性但氣質較陰柔的卡拉拜（calabai）、生理女性但氣質陽剛的卡拉萊（calalai），以及可男可女，同時兼具兩性特質，甚至帶有神性的碧穌（bissu）。

由此足以印證，LGBTQ 不只其來有自，根本就是人類繼承的傳統之一。

依照布吉斯族創世神話史詩《佳麗歌》（*La Galigo Manuscript*）的記載，上述五種性別的人，在布吉斯人的傳統社會裡和諧共生，就像陽光、空氣、水和土地一樣，是自然不過的當然存在。單純的男、女之外的任一性別，絕不會招致異樣的眼光看待，更不至於受到歧視。

其中碧穌扮演祭司的關鍵角色，在民族信仰的各種活動中舉足輕重，擔任人世與神界溝通的橋梁，備受族人的倚賴與敬重。一如薩滿（Shaman）信仰中的薩滿階級，碧穌具有預言、除穢、治療及與靈界溝通的超凡能力。看片時我不禁想到東冬，他的角色形同碧穌。

用過一本內頁印有六角形格線的筆記本，我寫著用著，老看到一朵又一朵的雪花結晶。送我這禮物的朋友當初笑說，這簿子抄化學筆記最

好用，我笑答最適合拿來畫苯（Benzene）分子。接著調侃愛做實驗的他，更愛做白日夢，準是相信自己有天能像有機化學家克苦樂（Friedrich August Kekulé von Stradonitz, 1829-1896）那樣，夢到一條咬住自己尾巴的蛇，就破解了苯分子的六邊環狀結構，又或者會像科學家愛因斯坦（Albert Einstein, 1879-1955）那般，夢到跨坐在行星上宇宙旅行，於是想出了「相對論」。

聞言好友翻過筆記本背面，指著上頭素素印的一行字 B'bu Hagay 哈哈大笑。原來這在泰雅語是指碎石堆成的山，用以形容太扯、太誇張，連山都跌倒了。兩人相視一眼，笑到岔氣。當即體悟到，一生中能有此默契地互開玩笑，卻能無損情誼的朋友，寥寥無幾。

那一刻，也驀然想起從夢的解析裡不斷汲取祖靈指示的東冬．侯溫。他好似一座碎石山，談笑風生時，總是令人捧腹絕倒，正色起來不怒而威，猶如以祖靈之眼睥睨四界。

而這座由先民前仆後繼、辛苦採集、搶救得來的褪色傳統，一點一滴堆積成的碎石山，得之不易，看似最脆弱但也最堅強。

貓哭症候群

女兒哭得淒厲如貓，她努力攤開緊緊攢住的小手摩娑安撫，不意看清了小女娃的雙手，
也是一式的斷掌。

之前在南非工作時，隨團隊濟助過一個即使在 township 都被邊緣化的年輕母親，她的遭遇與外貌一般淒美，讓人至今難以忘懷。

初見她時，她隻身帶著一個出生不滿百日的女寶寶住在東開普省某部落外圍，葺草屋頂室內夯土的陰鬱房間，勉強能遮風避雨。落單獨居前，她的長子剛剛夭折，死時還不到兩歲半。雙眼紅腫滿是血絲的母親，頭上纏著的黑色頭巾（doek），還是新婦的樣式。明明不過雙十年華，神情卻無比滄桑。

陪同的社工在來的路上已經跟我說過，她的族人一直視她為不祥之物。因為她的男嬰一出世就嚶嚶啼哭不停，又細又尖的哭聲絲毫不像人，更像是野貓在哀鳴。人們認為她不潔，靈魂被食腐大貓附身。族人說，已逝的男孩被惡靈重重詛咒，至死沒能學會走路，只會滿地亂爬。

兒子出生前，他們夫妻原本已經想好，生男孩叫Thandiwe，生女孩則叫Bathandwa，意思是家中的「至寶」與「至愛」，可惜上天不仁。由於兒子不良於行，她暱稱他為Uuka，天天盼著他能「準備好崛起」，偏偏她屢屢聽到旁人謔稱愛子為Avime（族語意謂「聽到啦」），只因她兒子哭聲淒厲如貓叫春。

女兒一呱呱落地，她便知道自己不只在劫難逃，甚至萬劫不復。如同哥哥出娘胎當初，小頭、圓臉、低耳、顎裂、脊柱嚴重彎曲，哭聲也如貓嘶嚎，偏偏還是個女娃。按著習俗，分娩後她需避靜獨居十日，但日期滿了，卻再也無人前來相搭理。

她泣訴：「他們甚至不跟我說女兒的臍帶埋在哪裡……」這個決絕的訊息我懂得，這意味著這母女倆自此慘遭族人切割，乏人聞問。對這個守活寡的孤母的絕望，完全能感同身受，不禁為慘無人道的集體霸凌毛骨悚然。

非洲班圖族（Bantu）尋常見面，一般互道安好時會問：「Inkaba yakho iphi?」這句柯薩語（isiXhosa）的問候，直譯是：「你的肚臍在哪兒？」這也是我唯一一句講得完整的柯薩語，之前講時都會忍俊不住，這回卻是連光聽到都覺不忍，聽到她這麼說，馬上心頭一緊。

孩子的生父酗酒好賭又懶惰，時不時家暴相向，妻子的順從緘默卻縱容他變本加厲，這是許多非洲婦女的共同宿命。畸形子女相繼而來，丈夫不但不給絲毫安慰，竟加入族人厲聲指責她汙染了家族血統。

她苦命的兒子有天無聲無息無預警地死了，葬禮草草了事，她恨家人連弔喪該回禮的玉米餅都捨不得準備。次日家人藉口屋裡依傳統進行除穢儀式（ukuxukuxa），一併也把她連同剋死哥哥的女嬰掃地出門。

襁褓裡的女嬰啼哭不已，她卻怎麼都哄不止，隨之瞬間崩潰爆哭高舉雙臂張手問蒼天。多重障礙出生的自己，深知身心受的苦再多，還是比不上自己的生身父母苦。那無可轉圜，注定是為人父母者一輩子難以平撫的煎熬。

順勢牽起她蒼白無血色的手設法安慰，一眼看清她是雙斷掌。女兒哭得淒厲如貓，她努力攤開緊緊攢住的小手摩挲安撫，不意看清了小女娃的雙手，也是一式的斷掌。

強顏笑著安慰她說，我奶奶說：「斷掌查甫作秀工，斷掌查某做夫人。」奶奶還跟生來痼椂的我說，我們每個人的福分其實都一樣多，少時用光了，老來就歹命；所以寧可年輕命苦挺得過，總比老來疾厄纏身好。因此勸她，只待眾厄盡去、眾苦俱滅，好運道一定會隨之接踵而來。

不料她伏著我的肩哭得更凶，她說她已無立錐之地，娘家、婆家皆不容，絕對撐不到好運來時。她不解，在娘家事親至孝，夫家也因此非卿不娶，她婚後任勞任怨，怎麼會落得如此下場？眼前懷抱不可能聽話的女兒，即使拉拔長大，有誰敢迎娶？她的憂慮其來有自，畢竟東非

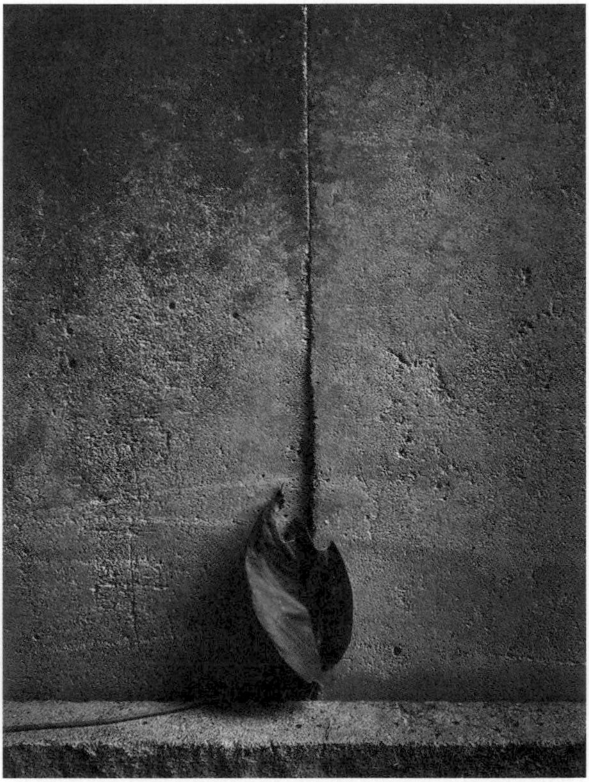

的古老諺語，的確這麼傳授如何娶妻娶賢：「If you would have a good wife, marry one who has been a good daughter」。

之後請教相熟的無國界醫師團（Médecins sans frontières）醫師，方知兩個孩子都是典型的「貓哭症候群」（Cri-du-chat syndrome）患者。新生兒發生機率為兩萬至五萬分之一，連續兩胎都有的機會微乎其微，可是偏偏就發生在這個母親身上。

台灣人對此罕見疾病肯定陌生，寥寥無幾的報導，卻不明就裡，將之歸咎於遺傳誤導大眾。但貓哭症候群真的不是遺傳性疾病，只不過出於不明原因，第五對染色體的短臂稍有缺損，以致產生了基因缺陷所致。

不否認生來有恙的自己和生我父母，經歷了一樣的辛苦。肉體上再苦再痛，畢竟可以自理自處，直接承受就是。然而精神上的沉痛，即使堅毅平和以對，還是無比艱難，因為是由旁人強加。人云亦云的誤解最殘忍，積非成是的偏見最暴力。

不願活在別人異樣的眼光中，我們卻常常以別樣眼光傷害別人。為了競爭，人們排除異己時毫不手軟，自求多福時先下手為強，偏偏罔顧異己者的種種難為。不願淪為受害者，因此成為加害人，人們往往卻渾然不知不覺。

後來再去訪視，苦情母女已不知去向，自然也不知所終。然而這麼多年過去，偶而午夜聽到貓兒慘叫，總會不禁想起非洲母親的暗夜哭聲。

南丁格爾與貓

以流浪貓比擬現代護理學之母的南丁格爾，絕無褻瀆之意。因為打出生便有大恙，承蒙醫護專業人員照拂多多，始終對視病如親的他們由衷感激。

藝文演出與展覽開幕，喜歡選在晚上，之後照例也會安排慶功宴與after parties。也因此，常常忙完事後返家時，往往是獨自一人在闇靜的暗巷裡踽踽獨行。老社區蜿蜒的巷弄內，舊式路燈失靈很久了，即使沒故障時還是昏黃朦朧，需要拿手機當手電筒，引路兼壯膽。

晃晃手裡的光源，首要避開四處覓食的蟑螂。不怎麼怕小強，但是著實討厭牠們壓低身形四竄的猥瑣，當然更不願聽見自己失足踩爆蟑螂，肚破腸流的嗶嗶啵啵聲，揮之難去實在很噁。

小巷照著照著，遠近暗處，不時會閃現綠光、黃光與紅光點點，標記出的不是流浪狗就是街貓。自從狂犬病案例出現那陣子，環保局捕狗大隊白天大肆搜捕，夜裡便只剩下黃眼睛和綠眼珠的貓兒。

露宿街頭的貓幫成員，一般躲得緊，生怕見光死。不過有兩隻黑貓特別大牌，全然不怕人，一被照醒便會起身，無聲無息一路跟蹤尾隨。搞不清牠們是大半夜閒來無聊，對光源閃爍有了把玩的興致，還是對夜半獨行的路人難掩好奇。

守著巷口前半段的那隻，蒙塵的皮毛灰不溜丟，長得也像深谷薰（FUKAYA Kahoru, 1962-）漫畫《夜巡貓》（*Yomawari Neko*, 2017）的主角遠藤平藏（ENDO Heizo），於是便以「遠藤」為代號。不過身量老態龍鍾又痴肥的牠，老是欸欸走個三分鐘意思意思，隨即就又打道回府回地盤趴下。真正一腳前一腳後，總堅持隨我走到後門口的那隻，四肢穿著白襪子，邊走邊不時探頭探腦，彷彿巡場般的模樣，令我想起南丁格爾（Florence Nightingale, 1820-1910），因此也就暱稱這隻為

「南丁格爾」。

以流浪貓比擬現代護理學之母的南丁格爾，絕無褻瀆之意。因為打出生便有大恙，承蒙醫護專業人員照拂多多，始終對視病如親的他們由衷感激，白衣天使南丁格爾自然一直是心儀不已的女性典範之一。

維多利亞時代（Victorian Era）是母儀天下的太平盛世，不過依然避免不了戰事頻仍，其中尤以克里米亞戰爭（Crimean War）最為慘烈。據說她之所以被暱稱為「打著燈籠的女士」（The Lady with the Lamp），正是因為她在野戰醫院服務傷患不眠不休，夜夜提燈來回巡房提供即時醫療，而傷患口中的這隻「夜鶯」，腳邊總有貓兒相伴。

十多年前一個五月天人在倫敦，去過泰晤士河畔的聖．湯瑪斯醫院（St. Thomas' Hospital）探病之後，路上不期而遇了「南丁格爾博物館」。一時好奇兼不趕時間，遂進去一探究竟。這才發現意外的旅程來對了。館裡的藏品，讓教科書裡的歷史一介人物躍然紙上，完全立體化、人性化了。

館內自然羅列了南丁格爾的功業彪炳。比起獲悉她編纂出史上第一部《護理筆記》（*Notes for Nursing*）、成立第一座皇家護理學校、首位獲皇室贈勳（Order of Merit）的女性，對知道她是皇家統計學院的第一位女性會員更有感，只因自己也是個「數字控」。

南丁格爾不只愛人如己，原來愛心還普及植物與動物。熱愛自然的她過世已滿百年，近兩百年前採集整理的植物標本與相關研究留下的筆記，如今赫然在目。也因此知道，原來她是動物迷。她和胞姐一起養了一頭驢、一匹馬、一隻小豬、一隻取名雅典娜（Athena）的貓頭鷹當寵物。不過姐妹倆最愛的還是貓，一養一大群，一度同時養了十七隻之多。

由於無私冒險照料惡疾纏身的垂死病患，晚年不幸感染梅毒（另一說為布氏桿菌症 Brucellosis），雖然大難不死，她卻因而必須長期臥病在床超過十年。儘管如此，南丁格爾仍然十分高壽，她榮獲英王喬治五世（George V, 1865-1936）贈勳封爵時，已經高齡九十。

突然恍然大悟，何以南丁格爾提倡慢性病患者應當養寵物為伴，裨益漫長的抗病生涯。她之所以開風氣之先，倡議當代稱為「寵物醫生」

的療法，醫病同時醫心，說起來當是親炙有效，才來積極獻策良方。

博物館的解說員信誓旦旦跟我說，正因為南丁格爾長壽，一生養過的貓超過六十隻。這也難怪，當南丁格爾目睹戰爭連綿的無比殘酷，為了爭權奪利，人類互相殘殺，戕害無辜無數，她會不禁這麼喟嘆：「連貓兒都比人類更有同情心，更富感情。」（Cats possess more sympathy and feeling than human beings.）

坦白說，南丁格爾博物館門可羅雀，與外頭的人車熙攘大異其趣。到底五月天氣正溫煦，午後泰晤士河畔行人如織，一般人那會捨得棄陽光和風，來就陳年歷史與作古多年的老婦人？大概連博物館員都沒料到，亂入的東方小女子，竟然會停留這麼長時間，還對一切解說覺得津津有味。

剪著鮑伯頭的解說員使出渾身解數兩個鐘點，最後提到她自己小時候，就是讀了南丁格爾傳大受感動，立志成為護士，從皇家兒童醫院退休後，便在這裡當起了志工。「現在大部分的醫護人員投入這行，泰半是為了高收入，再也不是為了救人。真是遺憾。」

銀髮蒼蒼的志工奶奶有點佝僂，但眼神炯炯然。堅持送客送到門口，她說謝謝我來，還建議下周再來，那時應該會熱鬧些，因為「國際護士節（International Nurses Day）為紀念南丁格爾而訂，五月十二日是她的冥誕。」我回說不巧沒法，去國多時的小妮子必須趕在母親節前返家。老太太說我好福氣，「每個媽媽都是天生的好護士。」

小學老師們總會出這樣的作文題目：「我的志願」。我的小學同學不分男女，不知怎地有志一同，想當老師的最多。若是進一步分流，男女的第二志願果然有別，男生要當醫生，女生則是嚮往當護士。

一直認為，這是因為那個年代，老師們也有志一同，把史懷哲（Albert Schweitzer, 1875-1969）、南丁格爾這樣以醫療奉獻濟世的偉人當榜樣。對一張白紙般的孩子實施樣板教育，在某一方面顯然徹底有效又成功，端看對前途無概念的我們，竟然如此不約而同地擁有一致的志向，便可見一斑。

加菲貓與珈琲

「珈琲貓」與「加菲貓」為同音異字，便訕訕地自我解嘲，說或許自己的確是個大怪「咖」，酗咖啡的自己，生就是一隻「珈琲貓」。

與我共事過的人皆知，我這人只要醒著，終日總是咖啡不離手。因為天生體質不耐，無論生茶熟茶是濃是薄，一律無福消受，然而咖啡喝再多，也不至於失眠。反倒若是基於禮貌逞強喝茶，即使只是啜飲小小一盞茶，立馬反胃脹氣難受不說，還會竟夜無法成眠。

對茶的無奈，也常演成社交的尷尬。品茗會友，就算茶席氣氛再好，奉茶的人再風雅，茶具再美，茶香再撲鼻，也只能望茶興嘆。不能與眾樂樂，孤獨一人凝視杯中茶湯美色、捧聞香杯品香、嚐細緻茶食、把玩茶器花器、賞良辰美景，總歸無法合群，著實好怨身不由己。

朋友揶揄說：「像妳這樣喝不得一點茶飲，那裡像華人？」便只好訕訕地自我解嘲，說或許自己的確是個大怪「咖」，酗咖啡（cafeholic）

的自己，活脫就是一隻「珈琲貓」。聞言有人聽了會意，卻純然只當玩笑話，往往不盡然知道其實我有所本，自然不會清楚典故何來。

也有年紀相仿的朋友十分水靈，猜測小女子會自稱珈琲貓，是出於我們這一代人對美式漫畫「加菲貓」（Garfield）的喜愛。可惜這完全是誤會一場。雖然這隻擬人化的加菲貓愛咖啡是真，但必須坦白，個人對這隻精靈古怪、作威作福、性喜捉弄的加菲貓，實在不是特別有好感。至少遠比不上一身黑白的狗狗史奴比（Snoopy），牠慎獨、寡言、愛人、愛鳥、愛音樂、愛寫作、愛落葉又富哲思，更加深得我心。

當「珈琲貓」與「加菲貓」為同音異字，必須承認是刻意誤讀的有意誤導。咖啡在日文中，音譯為コーヒー（KōHii），漢字寫成珈琲。但中文「珈琲」讀音的正解，應該讀作「加倍」。好妙，咖啡一下肚，一旦咖啡因加持，生理作用加上心因的倚賴，精神果然加倍充沛。

咖啡東傳日本，是經由荷蘭商賈。珈琲的字源，來自荷蘭原文 koffie 一字，初時並沒有統一的譯寫，漢字的翻譯有好長一段時間莫衷一是。咖啡的日本漢字譯名，一度有百百款，從「架非」、「加非」、「哥非乙」、「骨喜」到「可否」琳瑯滿目，都同時存在，有趣的是無論怎麼寫，那時大家都明白所指何物。

日本至今，還有名為「可否茶館」的古早味咖啡廳存在。天馬行空地想像，若要邀人一起前去這間咖啡館喝咖啡，問聲：「可否去可否珈琲喝可否咖啡？」念起來完全是一句拗口的繞口令。

荷蘭在一六三七年提供洋槍大砲，助江戶幕府弭平「島原之亂」之後，從此敲開了日本大門，正式建立了外交關係。就算是當日本十七至十九世紀處於鎖國（Sakoku）時期，荷蘭都是唯一得以維持通商與貿易順暢的國度。在那兩百年間，追求現代化的日人，熱烈擁抱荷蘭引進的政治、經濟、醫學、科技、文化的新知，西化蔚為風潮，隨著需求甚殷，終致催生了「蘭學」（Rangaku）。

投入蘭學研究是當年所有志青年、有識之士趨之若鶩的共同選擇，他們為了求新求變，群聚於蘭學之都橫濱彼此切磋砥礪。幕府末期的知名蘭學家宇田川榕菴（UDAGAWA Yōan, 1798-1846），不只是其中之一，也是箇中佼佼者。

宇田川天資聰穎，勤奮好學，博聞強記，漢文素養高也熟諳荷蘭文。憑著過人的功力與精力，使得他在行醫之餘，透過大量的翻譯與不斷實驗，為日本走向現代科技化，奠定不可磨滅的基礎。尤其是在化學、植物學與醫學方面，透過翻譯百科、圖鑑、史料，從知識傳譯到創造專有名詞，實質貢獻難以超越。

儘管此間知其名者恐怕寥寥無幾，隨著民初學人留學東瀛，以及日本一度殖民台灣長達半世紀，宇田川以漢字造出的許多新詞，早已成為我們習以為常的慣用詞彙。舉凡氧、氫、氮、碳、鉑、元素、金屬、細胞、物質、成分、分析、法則、溫度、壓力、溶解、試劑、沸騰、蒸汽、結晶、飽和、氧化、還原等等，都歸功於「榕菴先生」。

博學的宇田川凡事好奇，不只限於治學。據說他是開始科學性檢測溫泉質量，並予以鑑定分類的第一人，為日本落實溫泉文化翻了新頁。十九歲時就發表了一篇題為「哥非乙說」的論文，條理分明地介紹咖啡這種新奇的外來飲料。

榕菴先生仔細觀察過帶枝的咖啡豆之後，覺得造型與當時女性時興配戴的髮簪維妙維肖。髮簪上的珠花謂之「珈」，而連接美玉奇石的錦繩或絆扣，則稱為「琲」，兩個漢字組合成「珈琲」一詞，日語發音與荷蘭文的 koffie 十分雷同。

於是宇田川在隨後編纂出版的《蘭和對照辭典》（蘭和対訳辞書）中，正式收錄了咖啡漢字的正寫與讀音。從此而往，「珈琲」深入人心。

至於中文何以棄斜玉旁改為從口部？據悉是沿襲早期外來語中譯採音譯的慣例，詞彙加上口部，表示只表音不表義。若然，榕菴先生講究形音義皆能「信達雅」的苦心，似乎更勝一籌。

咖啡之愛，顯然宜乎眾矣，不然茶品王國的台灣，時下何以咖啡處處飄香。不知不覺中，許多約定俗成變為不可或缺的日常，形成無法取代的慣性，再也無從切割、割捨或者割愛。譬如咖啡，兩百年前種下的因，如今結了普世共享的果，豈非也是化小愛為大愛乎？

兒童節的三隻小貓

這不請自來到家落戶的貓媽媽是個新手，母貓當小姐時便極清瘦，加以害羞無比逢人就閃，以致到了臨盆，我們都沒見她大腹便便。

兒童節那日興起，整理手機裡的隨手拍，不意翻出好些抓拍小野貓們瞎起鬨嬉鬧的可愛照片。

在連日暴雨又爆熱之後，久違了的野貓終於現蹤。好一陣子不見，在院子裡圍牆邊最不顯眼的隱密角落裡，謎底揭曉。原來貓咪不再孤家寡人，已經升格當媽，母子一起靜靜地度過了母親節。

家中養著無自衛能力的小兔子、小鸚鵡這些寵物們在先，實在經不起掠食者野性不改的貓隻恣意縱橫其間。為了保護弱小，家裡人人一向不敢掉以輕心，何況宅院裡的各個角落，不時都會發現，為了貓咪生存而無辜犧牲的禽鳥、蝴蝶、蟲子遺骸，而且為數不可謂不多。

見識過這些貓下亡魂者，大概很難認同宋人冠予貓「銜蟬」這樣粉飾太平的雅號。貓已經名列「世界百大外來入侵種」，野化貓尤其惡名昭彰，因天性屬於掠食者，難免大肆掠食原生種生物，情形一旦失控，會導致特定物種的銳減瀕臨滅絕。

但如今，不請自來的貓咪母子一家，也一樣嗷嗷待哺，頓時陷入了兩難的掙扎。見我飯後撿拾魚肉雜碎，鬼鬼祟祟兜著消失在院中，知女莫若母，不用猜也料到女兒一定濫發了同情心。老人家不是沒有惻隱之心，生怕流浪貓一餵了便趕不走，不僅如此，擔心還會繼續呼朋引伴大舉入住。耳邊不時傳來母親勸退阻撓的叨念，手中還是充耳不聞地撮弄吃食，偷偷去餵楚楚可憐的貓。心軟的人意志向來不堅定，當初真的不該與大貓小貓深深對望……

公貓叫春時很高調，鬼哭神號等級。母貓交配完的慘叫淒厲無比，據說是貓的玉莖長滿魔鬼氈般的倒刺導致，總之兩種貓嚎都一樣刺耳，擾人清夢得令人發恨。「趕到貓兒們一講起戀愛來，那就鬧得一條街的人們都不能安睡。它*們的叫聲是那麼尖銳刺耳，使人覺得世界上若是沒有貓啊，一定會更平靜一些。……可是，及至女貓生下兩三個棉花團似的小貓啊，你又不恨它了。它是那麼盡責地看護兒女，連上房兜兜風也不肯去了。郎貓可不那麼負責，它絲毫不關心兒女。」老舍散文〈貓〉裡的一段敘述，如今遇上了相同狀況立馬秒懂。

這不請自來到家落戶的貓媽媽是個新手，母貓當小姐時便極清瘦，加以害羞無比逢人就閃，以致到了臨盆，我們都沒見她大腹便便。新手貓媽媽缺乏經驗，竟然選在院落牆角的小小一隅生養小孩。那裡逼仄

* 老舍原文「它」即今日之「牠」。

得難以廻身，緊貼著圍牆，緣著排水溝，又暗又窄又潮濕，勉強只能稍稍遮風蔽雨，委實稱不上是理想的築巢之所。

這一胎，一共就見著三隻。一隻是黑白分明的牛奶貓，兩隻則是虎斑貓；虎斑貓兒同花不同色，各自披著黑灰與黑白條紋相間的皮毛。三隻小貓咪雖然「仝一水」，身形卻頗有落差，呈現了大、中、小三種尺寸的顯著差異。

不只身材有別，性情也明明白白三個樣，截然不同。

灰色虎斑的那隻方額大耳，還俏皮地戴著黑手套穿黑襪子，老愛翻肚皮朝天；戴黑白條紋護腕的那隻乳牛貓調皮搗蛋，喜歡一路蹦蹦跳跳，

不愛好好走路；一輩子注定穿着白長襪的細漢仔，永遠自顧自安安靜靜，躲在一旁默默觀戰。

那年天氣多變多雨，貓媽媽因此格外辛苦。棲身的巢一濕，便要急忙拎起幼仔四處避難，偏偏大雨總來鬧，害貓媽媽圖不了多久安寧。看了於心不忍，只要人在家，也暗助新手母親照顧幼仔。不過我也因此不得清淨，一落雨便團團轉，冒雨四下尋貓，生怕小傢伙失溫凍斃。

就這樣子磕磕碰碰，貓寶寶們總算不負期待，一瞑大一寸。小貓漸漸會黏著媽咪亦步亦趨四處探險，儘管跌跌撞撞，一腳高一腳低步履蹣跚，努力學習自立的模樣，依然非常討喜。

「過了滿月的小貓們真是可愛，腿腳還不甚穩，可是已經學會淘氣。媽媽的尾巴，一根雞毛，都是它們的好玩具，耍上沒結沒完。一玩起來，它們不知要摔多少跟頭，但是跌倒即馬上起來，再跑再跌。它們的頭撞在門上，桌腿上，和彼此的頭上。撞疼了也不哭。

它們的膽子越來越大，逐漸開闢新的遊戲場所。它們到院子裡來了。院中的花草可遭了殃。它們在花盆裡摔跤，抱著花枝打秋千，所過之處，枝折花落。你不肯責打它們，它們是那麼生氣勃勃，天真可愛呀。可是，你也愛花。這個矛盾就不易處理。」

老舍的矛盾，爸爸與我心照不宣，父女倆不時瞞著其他家人，互通貓仔調皮搗蛋的情報。

就在拍下牠們活活潑潑、打打鬧鬧的歡樂場面後，天晴不再，連日豪雨不歇。在天候終於放晴了許久之後，這才又見著貓媽媽現身，可是十分狼狽的她卻形單影隻，獨不見昔日形影不離的三個淘氣身影隨侍在側。

是三胞胎楚楚可憐的憨態，及時讓貴人伸出援手，即刻收容了吧？還是貓仔被迫快速長大，提前離巢自力更生？難道是雛貓傻乎乎步入險境，不敵天地不仁，以致來不及長大？

清明這日變天的傍晚，看見久違的貓媽媽，頭低低若有所思走過窗前，沒入灌木叢。不由得惦記起三隻小貓，想念，卻又不敢多想……

歷歷在目的是牠們的灰藍色眼珠，圓滾滾、骨碌碌，眼神裡閃著無辜，又透著淡淡的哀傷，一如今日向晚的天色。

躲躲貓與躲迷藏

愛貓人不養貓，倒也不介意被貪玩的貓咪耍弄。因此只要時間不趕，明知躲躲貓玩躲貓貓的老把戲，整人遊戲還是屢屢奉陪到底。

周日正午，遇見了久違的「躲躲貓」。

巷子裡的這隻三色野貓，每次一見我，一定先一溜煙快閃。不過從不跑遠，跑個三兩步旋即停下，刻意等我去尋。一旦自認行蹤曝光，貓咪便立馬速速彈開，三步併兩步另覓暗處藏身，眼巴巴地靜待我找上門。

愛玩躲貓貓，喚作躲躲貓，完全名符其實。

如此尋我開心，總要來來回回，自嗨重複個幾回合，才能逗得牠開開心心。一待整人盡了興，滿意的牠這才會直直坐定，面無表情地裝無辜，彷彿剛才一切都沒發生。

儘管不是貓奴，與貓交手猶仍注定根本不是對手，永遠敗陣。幾時興起，幾時喊停，主導權和主控權完全在貓，從沒得商量也無招架餘地，徹底成了貓的玩物。「貓咪浪人」擁有的街頭智慧（street smart），完勝我這阿宅的書本智慧（book smart）。

愛貓人不養貓，倒也不介意被貪玩的貓咪耍弄。因此只要時間不趕，明知躲躲貓玩躲貓貓的老把戲，整人遊戲還是屢屢奉陪到底。何況躲躲貓也是夜貓子，我們通常是在四下無人時相應酬。

彼此狹路相逢，若遇有事匆忙趕路，便小聲吹口哨搖搖手，告知小夥伴此際無暇一起耍貓戲玩。奇的是躲躲貓平夙任性，這時卻能心領神會，轉而懂事地躡手躡腳一路尾隨。

第一次在大中午見著躲躲貓，很不尋常。牠也是先躲，但非常敷衍，一副沒要多玩的意思。喵兩聲自曝行蹤後便席地坐定，側身瞅我，眼眸瞇成兩道豎線，懶洋洋的眼神十分渙散迷離。

珠胎暗結的早春情事，在春季倒數的這日曝光。躲躲貓藏不住的肚子一個圓鼓鼓，脫毛的光滑肚皮裡，這次不曉得藏了幾隻小花貓？滿腹的沉甸甸，躲躲貓顯然臨盆在即。看來下個周日，躲躲貓應該已經升格成貓媽媽，取得一起過母親節的資格了。只要一切順利，也希望一切順利。

這一年五月五日立夏，貓咪寶寶生於孟夏時分，性情理應陽光。喜歡hide-and-seek的躲躲貓，會不會跟一路胎教到出娘胎的貓娃娃，從小開始玩 peek-a-boo？

韶光荏苒，時序行進得太匆匆，今年尤然。都還無緣品春茶、嘗青梅、吃香椿，庚子年的整個春季，竟就這樣在疫情中流逝……

「躲貓貓」如果英譯，還是覺得 Peek-a-boo 比較合適；至於 Hide-and-Seek，中譯則是以「躲迷藏」妥當。當初也許是深諳貓性的人所做的翻譯，因為傳神，也就被沿用至今，不然「躲貓貓」其實和貓毫無干係。唯獨動畫《冰河世紀》（*Ice Age*, 2002）裡有個逗趣的橋段，史前大貓劍齒虎 Diego 和獵人的孩子玩起「躲貓貓」，無獨有偶涉及了貓族。

法文俚語裡只要用了疊字，聽起來總是特別親暱又撒嬌。比方說暱稱

愛人為「chou-chou」，大小情人都可以喚作「親親」。而「躲貓貓」也有可愛的疊字發音「coucou」，不過模擬的卻是杜鵑鳥（cuckoo）咕咕的啼聲，與貓無瓜葛。

「躲貓貓」的標準玩法，在此一提。兩兩捉對一起玩，其中一個玩伴先發出一聲「coucou」（咕咕）之後要露臉，得到另一個玩伴的標準回答，會是「me voilà」（我在這兒）或者「beuh」。beuh 在「躲貓貓」遊戲裡不是指雜草，而是一個毫無意義的擬聲字。兒童遊戲史的研究者，就是以虛字發音雷同為證，認定英語世界 Peek-a-boo 遊戲，源自於法蘭西文化的遺緒。

「躲貓貓」是逗弄嬰兒的好遊戲，認知心理學家認為，這是襁褓期與牙牙學語的幼兒反覆練習學習對話，以便助其熟悉來回應答的教育模式。至於要會玩「躲迷藏」，孩子的年紀必須更大點。

這種孩童熱衷的尋人遊戲，全世界都不陌生，屬於寰宇共通的人類記憶。外文直白，可我偏愛華語的寫法。不管是「捉迷藏」、閩南話的「覕相揣」、粵語的「捉伊人」、「伏匿匿」，都很有畫面，十分到位。

誰知道，到今天始終喜歡玩「躲貓貓」的我，也許心理年齡遠遠低於街上那隻「躲躲貓」。

俄羅斯藍貓

館員對貓咪禮遇有加，都是愛貓人。他說冬宮博物館的貓是軟化劑，足以讓號稱戰鬥民族的俄羅斯人，來館時見到貓就變得溫文爾雅。

有幸在上世紀九〇年代，三度奉派前往初初開放的俄羅斯從事調研，主要待在莫斯科（Moscow）與聖彼得堡（St. Petersburg）。不知是否因為不曾與人計較，也沒想過要表示抗拒，三次出任務，竟然都被安排在酷寒的冬季時節。也許年輕時懵懵懂懂，不知道害怕為何物，不怕苦、不怕難也不怕冷，所以動輒零下二、三十度的嚴冬與人人自危的苦，凡人敬而遠之，自己雖無法甘之如飴，倒也並未絲毫減損在心目中俄羅斯的魅力。

那是鐵幕瓦解後的狂飆時代，冷戰結束的巨變致使人心浮躁，亂象叢生又瞬息萬變，置身其間，坦白說沒人篤定知道該如何常保沉著應對。不過無邪無私是一把保護傘，苦幹實幹是一張護身符，靠一把傘和一張符否極泰來，纖弱的自己，竟也就關關難過關關都給闖過熬過。回想起來，唯有感謝祖上積德庇蔭，才能萬幸得太不可思議。

臨到得離開俄國時，突然感覺萬般捨不得。患難常常令人對一個地方反而更有感，即使明知該公事公辦，說走就走。從事機動性高、專業分工縝密、任務編組頻仍的國際性工作，注定會重複著這樣的宿命：只能活在當下，try to make the most out of it，離開這一站要重返可能遙遙無期，又不知下一站在何方，即使與人一見如故相見恨晚，但深緣卻不能保證能再會，遑論奢望常聚首。

就在最後一天傍晚，決定來到紅場（Krásnaya plóshchad）作最後的巡禮。為了貪看克林姆林宮（Kremlin）頂尖的那顆由紅寶石打造的星星，一時沒注意到腳下的新雪已化成一層薄冰，於是狠狠地滑了一大跤。老實說摔得彷彿被五雷轟頂，痛得一時間滿眼金星。家族源自基輔公國的前貴族同事，費勁一面拉我起身，一面笑著恭喜我終於真正完成了俄羅斯文化的洗禮。也是，不曾履薄冰者，不解如履薄冰的心情，不曾跌跤的人，豈知狼狽再爬起的艱難。

有機會浸淫過的帝俄機構都令人難忘，其中以聖彼得堡的冬宮（The Hermitage）為最。那時的冬宮隱士廬博物館長年失修，陳舊但還是很美，縱使居間工作，依然天天覺得目不暇給。據稱是世界第二大博物館的冬宮，擁有上千間大小房間，只有三分之一對外開放，至今展示的館藏，僅只百分之五。氣宇軒昂的冬宮館長Mikhail Piotrovsky（1944-）是東方文物專家，說得一口流利的美式英語，接待我們時對藏品如數家珍讓人折服，無怪乎蘇聯解體後穩坐館長一職至今。

冬宮據說建築師當年是比照伊莉莎白女皇（Empress Elizabeth Petrovna, 1709-1762）的天顏量身訂製。官方肖像畫裡的伊莉莎白女皇，金髮、碧眼、膚色白皙，渾身籠罩著一圈金色光環。也因此冬宮的色彩計畫照本宣科，以百合白、蒂芬妮藍（Tiffany Blue）與黃金三色定調。

鐵幕之內鼠輩肆虐，鼠患也成災。冬宮博物館的主管並不諱言，鼠患是必須克服的國難。他提到彼得大帝愛女伊莉莎白，當時還是公主的她為此突發奇想，召集了能幹的御貓入宮抓鼠。其後凱薩琳女皇（Catherine the Great, 1729-1796）大舉擴充館藏，正式成立博物館。數百年來，冬宮博物館因而維持了養貓戒護藝術品的特有傳統，每年凱薩琳女皇的冥誕，就是愛貓日。館員對貓咪禮遇有加，都是愛貓人。他說冬宮博物館的貓是軟化劑，足以讓號稱戰鬥民族的俄羅斯人，來館時見到貓就變得溫文爾雅。

不過實情是貓咪只被允許在特定區域及辦公區自由進出，館內所見的貓族看來一般般，養得肥敦敦、懶洋洋，不像親善大使更不像狩獵高手。但館方宣稱，老鼠只消聞到貓的味道，便已退避三舍，逃之夭夭。罕見鼠蹤，貓咪館員功不可沒。

不敢確定假使在台灣的博物館引進貓，是否能一樣有效，然而十年前出任文化首長之時，倒是開風氣之先，藉狗兒興起了一場柔性革命。鑑於當時還沒有文化場館願意接待導盲犬，力行導盲犬及訓練犬得以隨主人與寄養家庭進入高雄市立美術館全區參觀的政策，同時貫徹展場規劃應配合考量創造人狗共同參觀的友善動線來設計。當時發的願心，在同仁協力下落實，現在已收宏效，國內絕大多數的場館從善如流，紛紛成為友善空間。

貓受寵至今是聖彼得堡人的驕傲。唯一的非常時期是在二次世界大戰時德國大舉入侵蘇聯之時，舊稱聖彼得堡的列寧格勒，圍城五百日間城內動物因充作食物近乎絕跡，唯有鼠族稱霸。為此在德軍敗退後，人民紛紛主動送貓入城以杜絕鼠患。

出於凱薩琳女皇偏愛俄羅斯藍貓（Russian Blues），宮廷內寵獨尊藍貓，並且作為外交餽贈。俄文暱稱為「冬天精靈」的俄羅斯藍貓，真的是十足的貴族貓，很美、很嬌、很貴、很傲，斷非人人供養得起，卻是愛貓人心中的極品。如果沒記錯，推理漫畫《名偵探柯南》（名探偵コナン）的女主角毛利蘭（MOURI Ran）的貴婦媽媽妃英理（KISAKI Eri），就養了一隻憨態可掬的俄羅斯藍貓。

俄羅斯藍貓之所以得名，出自牠身披泛著銀藍色光澤的短毛。然而，藍貓名字可是歷經三代變遷才訂定的官方學名。一八七五年水晶宮萬國博覽會的貓展裡，俄羅斯藍貓當初叫做「大天使」（Archangel Blues），其後一度因為認為原產地是在馬爾他島（Malta），改為「馬爾他貓」。不知是否因為歷來藍貓的擁護者非富即貴，坊間咸信藍貓基因優異過其他種貓，所以也是培育新型貓種的育種家的最愛。

對貓毛過敏的人，往往可以與俄羅斯藍貓相安無事，經查是牠們毛短又不會頻繁換毛，加以皮毛會產生的過敏原相對極少。若然，何止在博物館、美術館裡，可以效法冬宮引進俄羅斯藍貓創造友善氣氛，在醫院與療養院，不妨也考慮讓牠們扮演療癒十足的動物治療師協助病友及寂寞的銀髮族？

創世界紀錄的大貓

獵豹媽媽正聲聲呼喚淘氣的孩子歸來，那叫聲出人意表，與印象中猛禽該有獅吼虎嘯截然不同，也不是貓咪的喵喵叫，反而更像鳥鳴般啁啾。

爵士時代（Jazz Age）的傳奇名伶「黑珍珠」約瑟芬．貝克（Josephine Baker, 1906-1975），生於美國僑居巴黎，以獨創的裝扮與舞步登上一線舞台與影壇，紅極一時紅遍大西洋兩岸。她的一舉一動、一言一行動輒觀瞻，不吝放閃的她，永遠是媒體焦點。

她的寶貝寵物是隻雌獵豹（cheetah），芳名琪姬妲（Chiquita），她心血來潮時會牽著頸子上戴著鑽石項圈的豹子上街蹓躂。見識過這副光景的人都嘖嘖稱奇，說跟前跟後的琪姬妲不失優雅，跟馴服的寵物貓一樣乖巧。

這則明星逸事，很多人十分狐疑，難以置信豹子怎麼可能如此乖巧。

在非洲度過相當時日的自己，有幸親眼目睹、親身體驗這種大貓，確實非比尋常的親人。

那年元月，正值南半球夏天，一路驅車東行。行經小喀魯（Klein Karoo）一帶，一望無雲的藍天，和一片平坦的公路，一樣綿延不絕。喀魯一望無際，面積占南非共和國國土高達四成，由西向東一口氣橫貫西、北、東開普三省。

「喀魯」是非洲獨有的自然地景，此處的極端氣候屬於半沙漠型氣候，終年極乾旱，溫度極寒極熱交替。遙想遠古時代的當時，身無寸鐵的直立人，竟能經此穿越過此間，完成北向大遷徙，只能說是天外奇蹟。

特有的天候總有特有的族裔成功征服，世世代代把極地當作樂園與家園。如今包括布希曼人（Bushman）、二百四十多種鳥類、十六種羚羊、原種野貓（caracal）等禽獸，依然以此為家，繼續逆天繁衍。

原本滿心期待，嚮往看盡野多肉植物滿山遍野展顏的一期一會，可惜那年開花狀況不如預期，沒緣見到繁花連綿盛開的花園大道（Garden Route）。悵然若失之餘，決定改道繼續遠行，拜訪大喀魯保護區裡的獵豹園。

獵豹遠比想像的單薄秀氣，與修長纖細的身軀相比，頭顱比例上標準九頭比，跟大貓家族獅虎豹的方頭大耳，呈現殊相。鼻孔特大，尾巴超長，都是為了因應飆高換氣與急速轉彎保持平衡產生的演化。襯著臉上兩道黑線，眼睛也顯得既大又圓，眼神極溫和，讓我自然想起台灣的保育動物石虎。隨保育員參觀時，巧遇斜躺的獵豹媽媽，正聲聲呼喚淘氣的孩子歸來。那叫聲完全出人意表，與印象中猛禽該有獅吼虎嘯截然不同，也不是貓咪的喵喵叫，反而更像鳥鳴般啁啾。

猶記得保育員細心解釋豹斑學問大，有別於花豹的空心圓、美洲豹的圓中圓，獵豹的斑點是實心圓。圓點分布均勻的毛皮很美，草間彌生（KUSAMA Yayoi, 1929-）粉絲們肯定很愛，不過摸起來刺刺刺，挺扎人。但獵豹的和藹可親實在出乎意料，任人撫摸也不反抗，怡怡然乖到不可思議。直覺得，獵豹比那些不受教的街貓、被慣壞的家貓，還要懂事而黏人。

獵豹是陸地上奔跑速度最快的動物，瞬間時速可以高達一百二十公里，零到一百公里加速只消五秒多。可惜演化上追求爆發力與速度極限，迫使牠們犧牲掉身強體壯與續航力。其他肉食性野獸基本配備的致命狩獵武器，牠們僅聊備一格，因此幼仔羸弱，常常淪為掠食強者的盤中飧。依照精密統計，長年來居於生態劣勢，加以獵人一度過度獵殺取樂，如今全世界僅存獵豹不過七千頭。

野生獵豹逡巡草原原本已成絕響，動物學家最後一次觀測到自然生長的野生獵豹，竟在遙遙的一個半世紀以前。直到二〇〇三年，一隻母獵豹與兩隻公獵豹被成功野放，這才終結了優雅大貓一百二十五年的長年缺席。

這隻肩負族群命脈使命的雌性獵豹，並不是萬中之選的育種冠軍。在野外被拯救時不過兩歲，奄奄一息的她，竟然熬過了長達五小時的大手術，生命力頑強可見一斑。走過鬼門關大難不死的她，康復後被命名為西貝菈（Sibella）。

破紀錄重返自然後的西貝菈，不負使命懷過四胎，產下十九隻小豹。據說她每當小豹可以行動自如，一定會帶全家來亮相，和園區工作人員打招呼。彷彿年幼時遭到不肖獵者致命虐殺的陰影，早就拋諸腦後，獨獨寬容地記住人類的愛心滿滿。本能使然，野生動物能不記恨的極少，特別聰明如貓科家族。然而西貝菈不一樣，她的豁然大度，與她的外表一樣雍容。

二〇一五年九月，西貝菈在草原中狩獵小羚羊時意外腹部受傷，搶救無效壽終正寢。相較同類往往活不過十年，享年十四歲的她可謂高壽「貓瑞」。她一生養育的後代，共計有九個子女、十個孫兒、十八個曾孫依然健在，直系後裔占當今野生獵豹的總數，竟然高達百分之三。因為她，非洲喀魯草原景觀，才恢復昔時獵豹出沒的光景。

生於斯，長於斯，死於斯，獵豹終生適得其所。西貝菈對生態復育的卓越貢獻無與倫比，諡號被追封為「女蘇丹」（Sultaness），絕對當之無愧，嚴格說來可比獵豹界的夏娃（Eve）、露西（Lucy）再世。

轉角遇見貓

小店陳列的迷你貓偶，因為製作高手精湛的手藝，拾綴得栩栩如生，眼神細膩表情到位，引人流連忘返，離去後依然念念不忘。

東京的繁華擁擠，居間令人很難不血脈賁張。在東京討生活的朋友說，每逢耐不住高壓時，電車多搭幾站再下車，走一趟上野（Ueno）附近由谷中（Yanaka）、根津（Nezu）與千駄木（Sendagi）三區連成的谷根千區域，不失為稍事喘息解鬱的簡單選項。

荒川區（Arakawa）日暮里（Nippori）一帶，住宅、商家與小型工廠紛然雜處，住商不分之外，還有十幾座廟宇、神社和墓園穿插其間，市容非常奇特，卻也因此頗見江戶下町（Shitamachi）的庶民風情的遺緒。

此地不比一般市鎮，沒有成排騎樓亭仔腳可以遮風避雨，颳風下雨烈日當空無處可躲，「谷中銀座」商店街也缺乏人一鑽入就有空調降溫的現代化店鋪。不耐曬、不禁風或者怕淋雨的旅人，天氣不穩定時置身日暮里，肯定惴惴難安。

儘管毫無遮掩，位居小鎮中軸線、分隔兩側商店的那座雙向大階梯，依然是遊人必訪之所。除開陰雨之日，日暮時分階梯最高處籠罩著魔幻之光，吸引歷來不少日劇、電影，都在這夙有「夕陽之階」（夕やけだんだん）之稱的地點，拍攝經典浪漫場景。

凡是造訪過日暮里的過來人，都會提到谷中銀座是愛貓之鄉，「寺町」（Teramachi）的中心公認是「貓町」。他們轉述眾貓最愛商店街出入口的這座階梯，每到黃昏時分，都會不約而同地往階梯式日光浴場群聚。之前見過舊時大階梯上貓聚的老照片，品種、花色、年紀、習性、姿態隻隻不同，各據一方，多樣並存蔚為奇觀。

東晉書聖王羲之（303-361）書就《蘭亭集序》（353）如有神助，落筆筆墨酣暢，行雲流水的文采，如此描繪了那場人文薈萃的曠世場景：「雖趣舍萬殊，靜躁不同，當其欣於所遇，暫得於己，快然自足，不知老之將至。」永和九年暮春三月那個風和麗日，群賢畢至會師修禊，席間感慨俯仰之間，修短隨化，終期於盡，情隨事遷早為陳跡。至於日暮里遲暮之時，則是「群貓畢至」的類似場景，卻能無聲無息日復一日地送走每一天。

去年東京洽公，住宿被安排在西日暮里車站邊上。老式的旅店房間窄小，間間自有格局，讓我想起佳佳西市場旅店，曾經掀起南台灣老屋新力運動風潮的佳佳，如今業已歇業數年。無獨有偶，捷運日暮里站東側的布市也夙享盛名，批發零售著琳瑯滿目的布料纖維、織物成衣、配件小物，職人與主婦都愛來此淘寶。

公出往來奔波間，還是惦記著貓事，一抓到空檔，不忘趁隙仔細走過街廓尋貓。一條老街不過兩百米的距離，約莫有七、八十個商家進駐，雖然吃的、喝的、穿的、用的、玩的一應俱全，不過實情是遠不如傳說中熱鬧。

突顯貓形象作廣告招徠顧客的商家，儘管占了十之八九，間或也有貓用品雜貨鋪、專賣店，可活生生的貓，來回走過一遭卻只見著兩隻，而且一式地無精打采，運氣不佳令人氣餒失落。猜想許是連日風雨，不只人掃了遊興發懶，貓兒也意興闌珊，懶得出門遊街。

一街日式風情洋溢，一間瀰漫普羅旺斯鄉村風格的美髮小鋪相對突出。美髮小鋪流露的氣質，置身谷中銀座一點都不搭，更接近商店街底長巷（よみせ通り）裡那些貓咪咖啡店。那些貓痴開的店充滿古典音樂與咖啡香，小雖小，但該有的都有，十分迷人。

美髮鋪臨街的櫥窗裡，安置了一批迷你貓形布偶。貓形偶個頭袖珍，不盈一掌，身著的迷你洋裁，精緻合身，全身上下配件鉅細靡遺。貓偶各個神情自若，姿態宛然。它們一副不問晴雨、不問世事的模樣，兀自定格在靜止的時空中，一派淡然地細細放光。

這幾隻「非賣品」毛小孩頗見年代，想必是在地的產物，顯然出自「無貓不歡」的愛貓人之手。小店陳列的迷你貓偶，因為製作高手精湛的手藝，拾綴得栩栩如生，眼神細膩表情到位，引人流連忘返，離去後依然久久念念不忘。

坦白說，小小的貓形偶，遠比路邊一對碩大無朋的招財貓耐看多多，更完勝處處可見的俗麗發財貓。

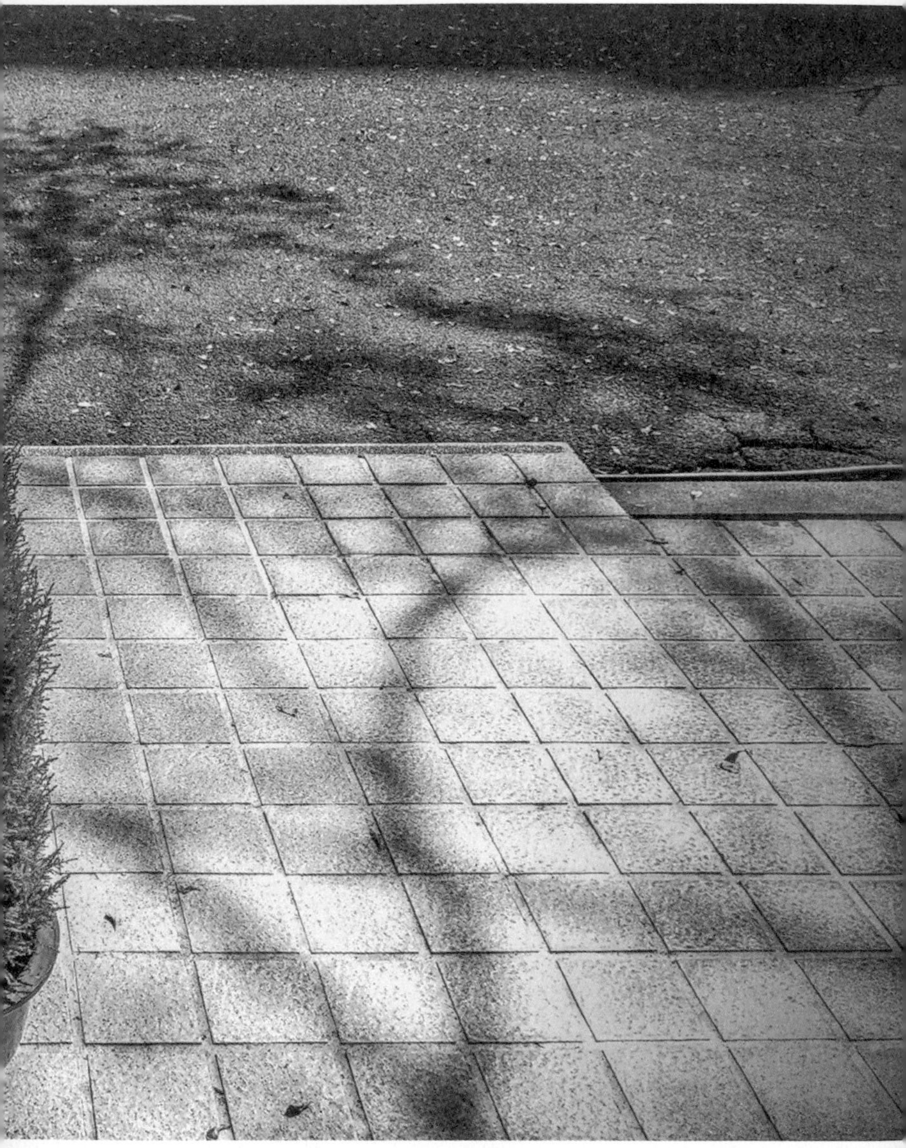

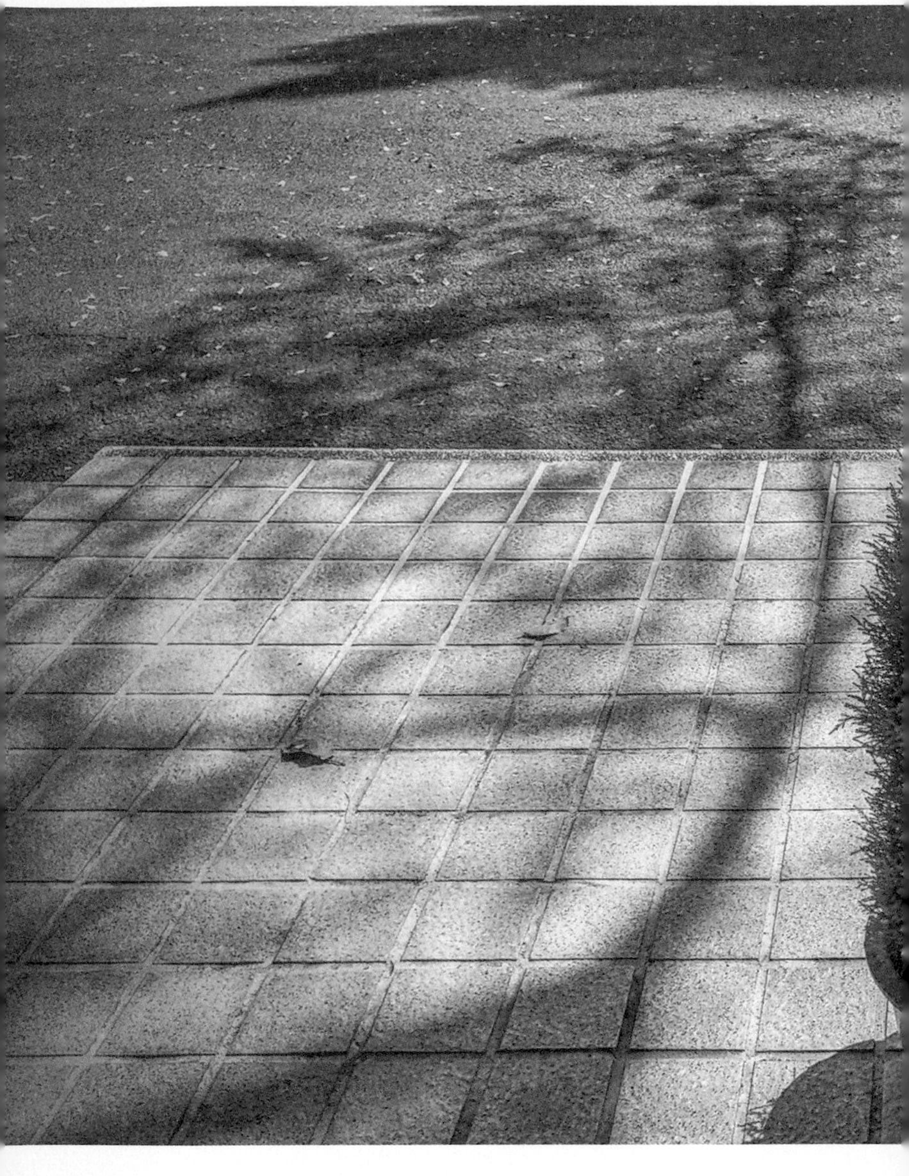

後記

沒人知道一生能有多長。我這一生，或許已經過了將近三分之二。

仔細想想，其中一大半的時間，都不在家。不是在異域他鄉孜孜矻矻，就是在路上風塵僕僕。不能好好陪伴家人，自然得認命自己好好過。然我也許只適合一個人落單獨居。

不必命理師掐指神算流年，早就知道生來就是關卡重重的勞碌命。

孤家寡人，姑且相信是先天天干三朋命格灼身使然，卻也是後天無可救藥浪漫的單戀選擇。於是不知不覺，便成了個貓一樣的人。

貓善感易感，但拙於社交，更不善於表達，往往搞不定自己，更害怕當不成自己。遇有氣味相投者，相知相惜可以很親很膩，但沒法形影不離如孿生，即使有伴也是可有可無的若即若離。

尤其驚懼惶恐病痛受傷之際，明明氣若游絲，行跡宛若遊魂，依然寧可概括承受默默療傷，也不願以脆弱示人討拍。貓也許最能解得沉默不是默認或默許，只是不願一般見識。

妄膽踩踏無人之境，遭遇有喜有悲，際遇難免大好大壞。天真無知不能是藉口，更不是保護罩，但好奇使然的求知若渴，看似一路斜槓歧路，卻都是累積，屢屢另闢蹊徑，最後絕處逢生。

面對不完美的自己和接受不完美的世界之後，方能夠自處與慎獨。從此自去自來，從緣逢機，隨遇而安。

人生道上，滿是女媧遺下的五彩礫石，俯拾即是。但刮手剮腳倒也是真實，唯有以肉身琢磨，終能補天地缺憾，讓斑斑血淚，也會熠熠生輝。

沿途的大風大浪，時雨時晴，坎坷顛頗，一待走過回望，都是難忘的風景。

而貓，永遠淡然處之，一步一腳印幽幽然走過一切。每一次的經過都是稍事逗留，不會是永駐。貓自顧自繼續往前行，流浪才是常態，只為相信最迷人風景，斂聚在極目所在的消失點，永遠在他方。

感謝父母師長，親朋同儕，無盡包容我如貓的種種不近人情與自行其是，仍然悉心陪伴照拂，如今才能有這本書存在。

眾大德惠我良多，大恩難言謝。容我再像貓一樣放懶任性撒態一次，且說：寫下《貓非貓》便是致謝與致敬，這是另類的「貓的報恩」。

Tone 36

貓非貓

—— 伸展在文字與攝影之間、藝術與文學之間。

作者 謝佩霓｜設計 陳文德｜主編 CHIENWEI WANG｜編輯協力 簡淑媛｜校對 謝佩霓、簡淑媛｜總編輯 湯皓全｜出版者 大塊文化出版股份有限公司｜ 105022台北市南京東路四段25號11樓｜www.locuspublishing.com｜讀者服務專線 0800-006689｜TEL (02) 87123898 FAX (02) 87123897｜郵撥帳號 18955675｜戶名 大塊文化出版股份有限公司｜E-MAIL locus@locuspublishing.com｜法律顧問 董安丹律師、顧慕堯律師｜總經銷 大和書報圖書股份有限公司｜地址 新北市新莊區五工五路2號｜TEL (02) 89902588（代表號）FAX (02) 22901658｜製版 瑞豐實業股份有限公司｜

初版一刷 2021年2月

初版二刷 2021年3月

定價 新台幣480元

ISBN 978-986-5549-40-4

國 家 圖 書 館 預 行 編 目 資 料

貓非貓 / 謝佩霓 文字. 攝影.
-- 初版. -- 臺北市 : 大塊文化, 2021.2
312面 ; 13×20公分. -- (Tone ; 36)
ISBN 978-986-5549-40-4 (精裝)

1.散文 2.貓

863.55　　109021555